PENGUIN

Companhia Da[s Letras]

Que é o abolicionismo?

JOAQUIM AURÉLIO BARRETO NABUCO DE ARAÚJO nasceu em 1849 em Recife, filho de José Tomás Nabuco de Araújo e Ana Benigna de Sá Barreto. Passou a infância no engenho Massangana, de propriedade de seus padrinhos, onde travou contato íntimo com a sociabilidade da escravidão nordestina, ligada à produção do açúcar. Ainda em criança mudou-se para o Rio de Janeiro, onde os pais passaram a residir e onde ele fez seus primeiros estudos. Em 1866, em São Paulo, ingressou na Faculdade de Direito, e dois anos depois voltou ao Recife, onde se graduou. São desta época seus primeiros textos sobre a escravidão e suas atuações iniciais como advogado. Teve a coragem de defender, então, o escravo Tomás, acusado de assassinato.

Em 1870, voltou ao Rio de Janeiro, onde iniciou carreira no jornalismo e trabalhou como advogado no escritório do pai. Logo, porém, abandonou a advocacia, para viajar à Europa e aos Estados Unidos. Em 1878, eleito deputado por Pernambuco, deu início à campanha pelo Abolicionismo. Derrotado na eleição seguinte, voltou à Europa. Em Londres, escreveu *O abolicionismo*, publicado em 1883, e colaborou com artigos em jornais brasileiros. Retornou ao Brasil no ano seguinte e retomou a campanha abolicionista, com textos publicados na imprensa, como "O erro do Imperador" e "O eclipse do abolicionismo". Em 1888, estava ao lado da Princesa Isabel quando da assinatura da Lei Áurea.

Casou-se com Evelina Torres Soares Ribeiro, filha de um fazendeiro do Rio de Janeiro, o Barão de Inhoã. Com ela, teve cinco filhos: Maria Carolina, Maurício, Joaquim, Maria Ana e José Tomáz.

Ainda se reelegeu deputado, mas a Proclamação da República o afastou da política por cerca de dez anos. Manteve-se monarquista convicto até se reaproximar da vida pública republicana, como diplomata, na virada do século.

Na Inglaterra, para onde voltou em 1892, escreveu *Balamaceda* (1895), sobre a guerra civil do Chile, e *Um estadista do Império* (1896), sobre seu pai, o senador Nabuco de Araújo, livro que é considerado sua obra máxima. Ao lado do amigo Machado de Assis, estava entre os fundadores da Academia Brasileira de Letras, em 1896 e 1897.

Em 1899, defendeu o Brasil na disputa com a Inglaterra pelos limites da Guiana Inglesa. No ano seguinte, publicou *Minha formação* e deu seguimento à carreira diplomática, servindo em Londres. Foi o primeiro embaixador brasileiro em Whashington, Estados Unidos, onde veio a falecer em 1910.

EVALDO CABRAL DE MELLO nasceu no Recife em 1936 e atualmente mora no Rio de Janeiro. Estudou Filosofia da História em Madri e Londres. Em 1960, ingressou no Instituto Rio Branco e dois anos depois iniciou a carreira diplomática. Serviu nas embaixadas do Brasil em Washington, Madri, Paris, Lima e Barbados, e também nas missões do Brasil em Nova York e Genebra e nos consulados gerais do Brasil em Lisboa e Marselha.

É um dos maiores historiadores brasileiros, especialista em História regional e no período de domínio holandês em Pernambuco no século XVII, assunto sobre o qual escreveu vários livros, como *Olinda restaurada* (1975), sua primeira obra, *Rubro veio* (1986), sobre o imaginário da guerra entre Portugal e Holanda, e *O negócio do Brasil* (1998), sobre os aspectos econômicos e diplomáticos do conflito entre portugueses e holandeses. Sobre a Guerra dos Mascates e a rivalidade entre brasileiros e portugueses em seu Estado natal publicou *A fronda dos mazombos* (1995). Escreveu também *O norte agrário e o Império* (1984), *O nome e o sangue* (1989), *A ferida de Narciso* (2001) e *Nassau: governador do Brasil Holandês* (2006), este para a Coleção Perfis Brasileiros, da Companhia das Letras.

Joaquim Nabuco

Que é o abolicionismo?

Seleção de
EVALDO CABRAL DE MELLO

Grafia atualizada segundo o Acordo Ortográfico da Língua Portuguesa de 1990, que entrou em vigor no Brasil em 2009.

Published by Companhia das Letras in association with Penguin Group (USA) Inc.

CAPA E PROJETO GRÁFICO PENGUIN-COMPANHIA
Raul Loureiro, Claudia Warrak

PREPARAÇÃO
Isabel Jorge Cury

REVISÃO
Renata Favareto Callari

Dados Internacionais de Catalogação na Publicação (CIP)
(Câmara Brasileira do Livro, SP, Brasil)

Nabuco, Joaquim, 1849-1910.
Que é o abolicionismo? / Joaquim Nabuco ; seleção de Evaldo Cabral de Mello. — São Paulo: Penguin Classics Companhia das Letras, 2011.

ISBN 978-85-63560-34-6

1. Abolicionismo 2. Brasil — História — Abolição da escravidão, 1888. 3. Nabuco, Joaquim, 1849-1910 I. Mello, Evaldo Cabral de. II. Título.

11-11455 CDD-326

Índice para catálogo sistemático:
1. Abolicionismo: ciência política 326

[2011]

EDITORA SCHWARCZ LTDA.
Rua Bandeira Paulista, 702, cj. 32
04532-002 — São Paulo — SP
Telefone: (11) 3707-3500 Fax: (11) 3707-3501
www.penguincompanhia.com.br
www.blogdacompanhia.com.br

Sumário

O abolicionismo

Que é o abolicionismo? A obra do presente e a do futuro

Uma pátria respeitada, não tanto pela grandeza do seu território como pela união de seus filhos; não tanto pelas leis escritas, como pela convicção da honestidade e justiça do seu governo; não tanto pelas instituições deste ou daquele molde, como pela prova real de que essas instituições favorecem, ou, quando menos, não contrariam a liberdade e desenvolvimento da nação.

EVARISTO FERREIRA DA VEIGA

Não há muito que se fala no Brasil em abolicionismo e Partido Abolicionista. A ideia de suprimir a escravidão, libertando os escravos existentes, sucedeu à ideia de suprimir a escravidão, entregando-lhe o milhão e meio de homens de que ela se achava de posse em 1871 e deixando-a acabar com eles. Foi na legislatura de 1879-80 que, pela primeira vez, se viu dentro e fora do Parlamento um grupo de homens fazer da *emancipação dos escravos*, não da limitação do cativeiro às gerações atuais, a sua bandeira política, a condição preliminar da sua adesão a qualquer dos partidos.

A história das oposições que a escravidão encontrara até então pode ser resumida em poucas palavras. No período anterior à Independência e nos primeiros anos subsequentes, houve, na geração trabalhada pelas ideias liberais do começo do século, um certo desassossego de consciência pela necessidade em que ela se viu de realizar a emancipação nacional, deixando grande parte da população em cativeiro pessoal. Os acontecimentos políticos, porém, absorviam a atenção do povo, e, com a revolução de 7 de abril de 1831, começou um período de excitação que durou até à Maioridade. Foi somente no Segundo Reinado que o progresso dos costumes públicos tornou possível a primeira resistência séria à escravidão. Antes de 1840 o Brasil é presa do tráfico de africanos; o estado do país é fielmente representado pela pintura do mercado de escravos no Valongo.

A primeira oposição nacional à escravidão foi promovida tão somente contra o tráfico. Pretendia-se suprimir a escravidão lentamente, proibindo a importação de novos escravos. À vista da espantosa mortalidade dessa classe, dizia-se que a escravatura, uma vez extinto o viveiro inesgotável da África, iria sendo progressivamente diminuída pela morte, apesar dos nascimentos.

Acabada a importação de africanos pela energia e decisão de Eusébio de Queirós, e pela vontade tenaz do imperador — o qual chegou a dizer em despacho que preferia perder a coroa a consentir na continuação do tráfico —, seguiu-se à deportação dos traficantes e à lei de 4 de setembro de 1850 uma calmaria profunda. Esse período de cansaço, ou de satisfação pela obra realizada — em todo caso de indiferença absoluta pela sorte da população escrava —, durou até depois da Guerra do Paraguai, quando a escravidão teve que dar e perder outra batalha. Essa segunda oposição que a escravidão sofreu, como também a primeira, não foi um ataque ao acampamento do inimigo para tirar-lhe os prisioneiros, mas uma limitação apenas do território sujeito às suas correrias e depredações.

Com efeito, no fim de uma crise política permanente, que durou de 1866 até 1871, foi promulgada a lei de 28 de setembro, a qual respeitou o princípio da inviolabilidade do domínio do senhor sobre o escravo e não ousou penetrar, como se fora um local sagrado, interdito ao próprio Estado, nos *ergástulos* agrários; e de novo, a esse esforço, de um organismo debilitado para minorar a medo as consequências da gangrena que o invadia, sucedeu outra calmaria da opinião, outra época de indiferença pela sorte do escravo, durante a qual o governo pôde mesmo esquecer-se de cumprir a lei que havia feito passar.

Foi somente oito anos depois que essa apatia começou a ser modificada e se levantou uma terceira oposição à escravidão; dessa vez, não contra os seus interesses de expansão, como era o tráfico, ou as suas esperanças, como a fecundidade da mulher escrava, mas diretamente contra as suas posses, contra a legalidade e a legitimidade dos seus *direitos*, contra o escândalo da sua existência em um país civilizado e a sua perspectiva de embrutecer o *ingênuo* na mesma senzala onde embrutecera o escravo.

Em 1850, queria-se suprimir a escravidão, acabando com o tráfico; em 1871, libertando desde o berço, mas de fato depois dos 21 anos de idade, os filhos de escrava ainda por nascer. Hoje quer-se suprimi-la, emancipando os escravos em massa e resgatando os *ingênuos* da servidão da lei de 28 de setembro. É este último movimento que se chama abolicionismo, e só este resolve o verdadeiro problema dos escravos, que é a sua própria liberdade. A opinião, em 1845, julgava legítima e honesta a compra de africanos, transportados traiçoeiramente da África, e introduzidos por contrabando no Brasil. A opinião, em 1875, condenava as transações dos traficantes, mas julgava legítima e honesta a matrícula depois de trinta anos de cativeiro ilegal das vítimas do tráfico. O abolicionismo é a opinião que deve substituir, por sua vez, esta última, e para a qual todas as transações de domínio sobre entes humanos são crimes que só diferem no grau de crueldade.

O abolicionismo, porém, não é só isso e não se contenta em ser o advogado *ex officio* da porção da raça negra ainda escravizada; não reduz a sua missão a promover e conseguir — no mais breve prazo possível — o resgate dos escravos e dos *ingênuos*. Essa obra — de reparação, vergonha ou arrependimento, como a queiram chamar — da emancipação dos atuais escravos e seus filhos é apenas a tarefa imediata do abolicionismo. Além dessa, há outra maior, a do futuro: a de apagar todos os efeitos de um regímen que, há três séculos, é uma escola de desmoralização e inércia, de servilismo e irresponsabilidade para a casta dos senhores, e que fez do Brasil o Paraguai da escravidão.

Quando mesmo a emancipação total fosse decretada amanhã, a liquidação desse regímen daria lugar a uma série infinita de questões, que só poderiam ser resolvidas de acordo com os interesses vitais do país pelo mesmo espírito de justiça e humanidade que dá vida ao abolicionismo. Depois que os últimos escravos houverem sido arrancados ao poder sinistro que representa para a raça negra a maldição da cor, será ainda preciso desbastar, por meio de uma educação viril e séria, a lenta estratificação de trezentos anos de cativeiro, isto é, de despotismo, superstição e ignorância. O processo natural pelo qual a escravidão fossilizou nos seus moldes a exuberante vitalidade do nosso povo durou todo o período do crescimento, e enquanto a nação não tiver consciência de que lhe é indispensável adaptar à liberdade cada um dos aparelhos do seu organismo de que a escravidão se apropriou, a obra desta irá por diante, mesmo quando não haja mais escravos.

O abolicionismo é, assim, uma concepção nova em nossa história política, e dele, muito provavelmente, como adiante se verá, há de resultar a desagregação dos atuais partidos. Até bem pouco tempo atrás a escravidão podia esperar que a sua sorte fosse a mesma no Brasil que no

Império Romano, e que deixassem desaparecer sem contorções nem violência. A política dos nossos homens de Estado foi toda, até hoje, inspirada pelo desejo de fazer a escravidão dissolver-se insensivelmente no país.

O abolicionismo é um protesto contra essa triste perspectiva, contra o expediente de entregar à morte a solução de um problema, que não é só de justiça e consciência moral, mas também de previdência política. Além disso, o nosso sistema está por demais estragado para poder sofrer impunemente a ação prolongada da escravidão. Cada ano desse regímen que degrada a nação toda, por causa de alguns indivíduos, há de ser-lhe fatal, e se hoje basta, talvez, o influxo de uma nova geração educada em outros princípios para determinar a reação e fazer o corpo entrar de novo no processo, retardado e depois suspenso, do crescimento natural; no futuro, só uma operação nos poderá salvar — à custa da nossa identidade nacional —, isto é, a transfusão do sangue puro e oxigenado de uma raça livre.

O nosso caráter, o nosso temperamento, a nossa organização toda, física, intelectual e moral, acha-se terrivelmente afetada pelas influências com que a escravidão passou trezentos anos a permear a sociedade brasileira. A empresa de anular essas influências é superior, por certo, aos esforços de uma só geração, mas enquanto essa obra não estiver concluída, o abolicionismo terá sempre razão de ser.

Assim como a palavra *abolicionismo*, a palavra *escravidão* é tomada neste livro em sentido lato. Esta não significa somente a relação do escravo para com o senhor; significa muito mais: a soma do poderio, influência, capital, e clientela dos senhores todos; o feudalismo estabelecido no interior; a dependência em que o comércio, a religião, a pobreza, a indústria, o Parlamento, a Coroa, o Estado enfim, se acham perante o poder agregado da minoria aristocrática, em cujas senzalas centenas de milhares de entes humanos vivem embrutecidos e moralmente mutilados pelo próprio regímen a que estão sujeitos; e por último, o espírito, o princípio vital que anima a instituição toda, sobretudo no momento em que ela entra a recear pela posse imemorial em que se acha investida, espírito que há sido em toda a história dos países de escravos a causa do seu atraso e da sua ruína.

A luta entre o abolicionismo e a escravidão é de ontem, mas há de prolongar-se muito, e o período em que já entramos há de ser caracterizado por essa luta. Não vale à escravidão a pobreza dos seus adversários, nem a própria riqueza; não lhe vale o imenso poderio que os abolicionistas conhecem melhor talvez do que ela: o desenlace não é duvidoso. Essas contendas não se decidem nem por dinheiro, nem por prestígio social, nem — por mais numerosa que esta seja — por uma clientela mercenária. "O Brasil seria o último dos países do mundo, se, tendo a escravidão, não tivesse um partido abolicionista; seria a prova de que a consciência moral ainda não havia despontado nele."[1] O Brasil seria o mais desgraçado dos países do mundo, devemos acrescentar, hoje que essa consciência despontou, se, tendo um partido abolicionista, esse partido não triunfasse: seria a prova de que a escravidão havia completado a sua obra e selado o destino nacional com o sangue dos milhões de vítimas que fez dentro do nosso território. Deveríamos então perder, para sempre, a esperança de fundar um dia a pátria que Evaristo sonhou.

O tráfico de africanos

Andrada! arranca esse pendão dos ares!
Colombo! fecha a porta dos teus mares.

CASTRO ALVES

A escravidão entre nós não teve outra fonte neste século senão o comércio de africanos. Tem-se denunciado diversos crimes no Norte contra as raças indígenas, mas semelhantes fatos são raros. Entre os escravos há, por certo, descendentes de caboclos remotamente escravizados, mas tais exceções não tiram à escravidão brasileira o caráter de puramente africana. Os escravos são os próprios africanos importados, ou os seus descendentes.

O que foi, e infelizmente ainda é, o tráfico de escravos no continente africano, os exploradores nos contam em páginas que horrorizam; o que era nos navios negreiros, nós o sabemos pela tradição oral das vítimas; o que por fim se tornava depois do desembarque em nossas praias, desde que se acendiam as fogueiras anunciativas, quando se internava a caravana e os negros *boçais* tomavam os seus lugares ao lado dos *ladinos* nos quadros das fazendas, vê-lo-emos mais tarde. Basta-me dizer que a história não oferece no seu longo decurso um crime geral que, pela perversidade, horror, e infinidade dos crimes particulares que o compõem, pela sua duração, pelos seus motivos sórdidos, pela desumanidade do seu sistema complexo de medidas, pelos proventos dele tirados, pelo número das suas vítimas, e por todas as suas consequências, possa de longe ser comparado à colonização africana da América.

Ao procurar descrever o tráfico de escravos na África Oriental, foi-me necessário manter-me bem dentro da verdade para não se me arguir de exagerado; mas o assunto não consentia que eu o fosse. Pintar com cores por demais carregadas os seus efeitos é simplesmente impossível. Os espetáculos que presenciei, apesar de serem incidentes comuns do tráfico, são tão repulsivos que sempre procuro afastá-los da memória. No caso das mais desagradáveis recordações, eu consigo por fim adormecê-las no esquecimento; mas as cenas do tráfico voltam-me ao pensamento sem serem chamadas, e fazem-me estremecer no silêncio da noite, horrorizado com a fidelidade com que se reproduzem.

Essas palavras são do dr. Livingstone e dispensam quaisquer outras sobre a perseguição de que a África é vítima há séculos, pela cor dos seus habitantes.

Castro Alves na sua *Tragédia no mar* não pintou senão a realidade do suplício dantesco, ou antes romano, a que o tombadilho dos navios negreiros[1] servia de arena, e o porão de subterrâneo. Quem ouviu descrever os horrores do tráfico tem sempre diante dos olhos um quadro que lembra a pintura de Géricault *O naufrágio da Medusa*. A balada de Southey, do marinheiro que tomara parte nessa navegação maldita, e a quem o remorso não deixara mais repouso e a consciência perseguia de dentro implacável e vingadora, expressa a agonia mental de quantos, tendo um vislumbre de consciência, se empregaram nesse contrabando de sangue.

Uma vez desembarcados, os esqueletos vivos eram conduzidos para o eito das fazendas, para o meio dos cafezais. O tráfico tinha completado a sua obra, começava a da escravidão. Não entro neste volume na história do tráfico e, portanto, só incidentemente me refiro às humilhações que impôs ao Brasil a avidez insaciável e sanguinária daquele comércio. De 1831 até 1850 o governo brasileiro achou-se, com efeito, empenhado com o inglês numa luta diplomática do mais triste caráter para nós, por não podermos executar os nossos tratados e as nossas leis. Em vez de patrioticamente entender-se com a Inglaterra, como nesse tempo haviam feito quase todas as potências da Europa e da América para a completa destruição da pirataria que infestava os seus portos e costas; em vez de aceitar, agradecido, o concurso do estrangeiro para resgatar a sua própria bandeira do poder dos piratas, o governo deixou-se aterrar e reduzir à impotência por estes. A Inglaterra esperou até 1845 que o Brasil entrasse em acordo com ela; foi somente em 1845, quando em falta de tratado conosco ela ia perder o fruto de 28 anos de sacrifícios, que lord Aberdeen apresentou o seu *Bill*. O *Bill Aberdeen*, pode-se dizer, foi uma afronta ao encontro da qual a escravidão forçou o governo brasileiro a ir. A luta estava travada entre a Inglaterra e o tráfico e não podia, nem devia acabar, por honra da humanidade, recuando ela. Foi nisso que os nossos estadistas não pensaram. A cerração que os cercava não lhes permitia ver que em 1845 o sol do nosso século já estava alto demais para alumiar ainda tal pirataria neste hemisfério.

Só por um motivo, essa lei Aberdeen não foi um título de honra para a Inglaterra. Como se disse, por diversas vezes, no Parlamento inglês, a Inglaterra fez com uma nação fraca o que não faria contra uma nação forte. Uma das últimas carregações de escravos para o Brasil, a dos africanos chamados do Bracuí, internados em 1852 no Bananal de São Paulo, foi levada à sombra da bandeira dos Estados Unidos. Quando os cruzadores ingleses encontravam um navio negreiro que içava o pavilhão das estrelas deixavam-no passar. A atitude do Parlamento inglês votando a lei que deu jurisdição aos seus tribunais sobre navios e súditos brasileiros, empregados no tráfico, apreendidos ainda mesmo em águas territoriais do Brasil, teria sido altamente gloriosa para ele se essa lei fizesse parte de um sistema de medidas iguais contra *todas* as bandeiras usurpadas pelos agentes daquela pirataria.

Mas, qualquer que fosse a fraqueza da Inglaterra em não proceder contra os fortes como procedia contra os fracos, o brasileiro, que lê a nossa história diplomática durante o período militante do tráfico, o que sente é ver o poderio que a soma de interesses englobada nesse nome exercia sobre o país.

Esse poderio era tal que Eusébio de Queirós, ainda em 1849, num *memorandum* que redigiu, para ser presente ao ministério sobre a questão, começava assim:

> Para reprimir o tráfico de africanos no país *sem excitar uma revolução* faz-se necessário: 1º) atacar com vigor as novas introduções, esquecendo e anistiando as anteriores à lei; 2º) dirigir a repressão contra o tráfico no mar, ou no momento do desembarque, enquanto os africanos estão em mãos dos introdutores.

O mesmo estadista, no seu célebre discurso de 1852, procurando mostrar como o tráfico somente acabou pelo interesse dos agricultores, cujas propriedades estavam passando para as mãos dos especuladores e dos traficantes, por causa das dívidas contraídas pelo fornecimento de escravos, confessou a pressão exercida, de 1831 a 1850, pela agricultura consorciada com aquele comércio, sobre todos os governos e todos os partidos:

> Sejamos francos [disse ele]: o tráfico, no Brasil, prendia-se a interesses, ou para melhor dizer, a presumidos interesses dos nossos agricultores; e num país em que a agricultura tem tamanha força, era natural que a opinião pública se manifestasse em favor do tráfico;

a opinião pública que tamanha influência tem, não só nos governos representativos, como até nas próprias monarquias absolutas. O que há pois para admirar em que os nossos homens políticos se curvassem a essa lei da necessidade? O que há para admirar em que nós todos, amigos ou inimigos do tráfico, nos curvássemos a essa necessidade? Senhores, se isso fosse crime, seria um crime geral no Brasil; mas eu sustento que, quando em uma nação todos os partidos políticos ocupam o poder, quando todos os seus homens políticos têm sido chamados a exercê-lo, e todos eles são concordes em uma conduta, é preciso que essa conduta seja apoiada em razões muito fortes; impossível que ela seja um crime e haveria temeridade em chamá-la um erro.

Trocada a palavra *tráfico* pela palavra *escravidão*, esse trecho de eloquência, calorosamente aplaudido pela Câmara, poderá servir de apologia no futuro aos estadistas de hoje que quiserem justificar a nossa época. A verdade, porém, é que houve sempre diferença entre os inimigos declarados do tráfico e os seus protetores. Feita essa reserva, a favor de um ou outro homem público que *nenhuma cumplicidade* teve nele, e outra quanto à moralidade da doutrina, de que se não pode chamar *crime* nem *erro* à violação da lei moral, quando é uma nação inteira que a comete, as palavras justificativas do grande ministro da Justiça de 1850 não exageram a degradação a que chegou a nossa política até uma época ainda recente. Algumas datas bastam para prova. Pela Convenção de 1826, o comércio de africanos devia, no fim de três anos, ser equiparado à pirataria, e a lei que os equiparou tem a data de 4 de setembro de 1850. A liberdade imediata dos africanos legalmente capturados foi garantida pela mesma Convenção, quando ratificou a de 1817 entre Portugal e a Grã-Bretanha, e o decreto que *emancipou* os africanos *livres* foi de 24 de setembro de 1864. Por último, a lei de 7 de novembro de 1831 está até hoje sem execução, e os mesmos que ela declarou livres acham-se ainda em cativeiro. Nessa questão do tráfico bebemos as fezes todas do cálix.

É por isso que nos envergonha ler as increpações que nos faziam homens como sir Robert Peel, lord Palmerston e lord Brougham, e ver os ministros ingleses reclamando a liberdade dos africanos que a nossa própria lei declarou livres sem resultado algum. A pretexto da dignidade nacional ofendida, o nosso governo, que se achava na posição coata em que o descreveu Eusébio, cobria praticamente com a sua bandeira e a sua soberania as expedições dos traficantes organizadas no Rio e na Bahia. Se o que se fez em 1850 houvesse sido feito em 1844, não teria por certo havido *Bill Aberdeen*.

A questão nunca deveria ter sido colocada entre o Brasil e a Inglaterra, mas entre o Brasil, com a Inglaterra, de um lado, e o tráfico do outro. Se jamais a história deixou de registrar uma aliança digna e honesta, foi essa, a que não fizemos com aquela nação. O princípio: que o navio negreiro não tem direito à proteção do pavilhão seria muito mais honroso para nós do que todos os argumentos tirados do direito internacional para consumar definitivamente o cativeiro perpétuo de estrangeiros introduzidos à força em nosso país.

O poder, porém, do tráfico era irresistível, e até 1851 não menos de 1 milhão de africanos foram lançados em nossas senzalas. A cifra de 50 mil por ano não é exagerada.

Mais tarde, teremos que considerar a soma que o Brasil empregou desse modo. Esse milhão de africanos não lhe custou menos de 400 mil contos. Desses 400 mil contos que sorveram as economias da lavoura durante vinte anos, 135 mil contos representam a despesa total dos negreiros, e 260 mil os seus lucros.[2]

Esse imenso prejuízo nacional não foi visto durante anos pelos nossos estadistas, os quais supunham que o tráfico enriquecia o país. Grande parte, seguramente, desse capital voltou para a lavoura quando as fazendas caíram em mãos dos negociantes de escravos que tinham hipotecas sobre elas por esse fornecimento, e assim se tornaram senhores *perpétuos* do seu próprio contrabando. Foi Eusébio quem o disse no seguinte trecho do seu discurso de 16 de julho de 1852, a que já me referi:

> A isto [o desequilíbrio entre as duas classes de livres e escravos produzido "pela progressão ascendente do tráfico" que nos anos de 1846, 1847 e 1848 havia triplicado] veio juntar-se o interesse dos nossos lavradores: a princípio, acreditando que na compra do maior número de escravos consistia o aumento de seus lucros, os nossos agricultores sem advertirem no gravíssimo perigo que ameaçava o país, só tratavam da aquisição de novos braços *comprando-os a crédito*, a pagamento de três a *quatro anos, vencendo no intervalo juros mordentes.* [Aqui segue-se a frase sobre a mortalidade dos africanos citada em outro capítulo.] Assim os escravos morriam, mas as dívidas ficavam, e com elas os terrenos hipotecados aos especuladores, que compravam os africanos aos traficantes para revender aos lavradores [*apoiados*]. *Assim a nossa propriedade territorial ia passando das mãos dos agricultores para os especuladores e traficantes* [*apoiados*]. Essa experiência despertou os nossos lavradores, e fez-lhes conhecer que achavam sua ruína onde procuravam a riqueza, e ficou o tráfico desde esse momento definitivamente condenado.

Grande parte do mesmo capital realizado foi empregada na edificação do Rio de Janeiro e da Bahia, mas o restante foi exportado para Portugal, que tirou assim do tráfico, como tem tirado da escravidão no Brasil, não menores lucros do que a Espanha tirou dessas mesmas fontes em Cuba.

Ninguém, entretanto, se lembra de lamentar o dinheiro desperdiçado nesse ignóbil comércio, porque os seus prejuízos morais deixaram na sombra todos os lucros cessantes e toda a perda material do país. O brasileiro que lê hoje os papéis do tráfico, para sempre preservados como o arquivo de uma das empresas mais sombrias a que jamais se lançou a especulação sem consciência que deslustra as conquistas civilizadoras do comércio, não atende senão à monstruosidade do crime e aos algarismos que dão a medida dele. O lado econômico é secundário, e o fato de haver sido esse o principal, segundo a própria demonstração de Eusébio, tanto para triplicar de 1846 a 1848 o comércio como para extingui-lo dois anos depois, prova somente a cegueira com que o país todo animava essa revoltante pirataria. Os poucos homens a quem esse estado de coisas profundamente revoltava, como por exemplo os Andradas, nada podiam fazer para modificá-lo. Os ousados traficantes de negros novos encastelados na sua riqueza mal adquirida eram onipotentes, e levantavam contra quem ousava erguer a voz para denunciar-lhes o comércio as acusações de *estrangeiros*, de aliados da Inglaterra, de cúmplices das humilhações infligidas ao país.

O verdadeiro patriotismo, isto é, o que concilia a pátria com a humanidade, não pretende mais que o Brasil tivesse o direito de ir com a sua bandeira, à sombra do direito das gentes, criado para a proteção e não para a destruição da nossa espécie, roubar homens na África e transportá-los para o seu território.

Sir James Hudson qualificou uma vez o argumento "da dignidade nacional", que o nosso governo sempre apresentava, nos seguintes termos: "Uma dignidade que se procura manter à custa da honra nacional, da deterioração dos interesses do país, da degradação gradual, mas certa do seu povo". Essas palavras não eram merecidas em 1850 quando foram escritas; mas aplicam-se, com a maior justiça, ao longo período de 1831 até aquele ano.

Esse é o sentimento da atual geração. Todos nós fazemos votos para que, se alguma outra vez em nossa história, aterrando o governo, prostituindo a justiça, corrompendo as autoridades e amordaçando o Parlamento, algum outro poder, irresistível como foi o tráfico, se senhorear da nossa bandeira e subjugar as nossas leis, para infligir um longo e atroz martírio nas mesmas condições a um povo de outro continente ou de outro país, essa pirataria não dure senão o tempo de ser esmagada, com todos os seus cúmplices, por qualquer nação que o possa fazer.

A soberania nacional, para ser respeitada, deve conter-se nos seus limites; não é ato de soberania nacional o roubo de estrangeiros para o cativeiro. Cada tiro dos cruzadores ingleses que impedia tais homens de serem internados nas fazendas e os livrava da escravidão perpétua era um serviço *à honra nacional*. Esse pano verde-amarelo, que os navios negreiros içavam à popa, era apenas uma profanação da nossa bandeira. Esta, eles não tinham o direito de a levantar nos antros flutuantes que prolongavam os barracões da costa de Angola e Moçambique até à costa da Bahia e do Rio de Janeiro. A lei proibia semelhante insulto ao nosso pavilhão, e quem o fazia não tinha direito algum de usar dele.

Essas ideias podem hoje ser expressas com a nobre altivez de um patriotismo que não confunde os limites da pátria com o círculo das depredações traçado no mapa do globo por qualquer bando de aventureiros; a questão é se a geração atual, que odeia sinceramente o tráfico e se acha tão longe dele como da Inquisição e do absolutismo, não deve pôr-lhe efetivamente termo, anulando aquela parte das suas transações que não tem o menor vislumbre de legalidade. Se o deve, é preciso acabar com a escravidão que não é senão o tráfico, tornado permanente e legitimado, do período em que a nossa lei interna já o havia declarado criminoso e no qual todavia ele foi levado por diante em escala e proporções nunca vistas.

Influência da escravidão sobre a nacionalidade

[*Com a escravidão*] *nunca o Brasil aperfeiçoará as raças existentes.*

JOSÉ BONIFÁCIO

O Brasil, como é sabido, é um dos mais vastos países do globo, tendo uma área de mais de 8 milhões de quilômetros quadrados; mas esse território em grandíssima parte nunca foi explorado, e, na sua porção conhecida, acha-se esparsamente povoado. A população nacional é calculada entre 10 e 12 milhões; não há porém base séria para se a computar, a não ser que se acredite nas listas de recenseamento apuradas em 1876, listas e apuração que espantariam a qualquer principiante de estatística. Seja, porém, de 10 ou 12 milhões, essa população na sua maior parte descende de escravos, e por isso a escravidão atua sobre ela como herança do berço.

Quando os primeiros africanos foram importados no Brasil, não pensaram os principais habitantes — é verdade que, se o pensassem, isso não os impediria de fazê-lo, porque não tinham o patriotismo brasileiro — que preparavam para o futuro um povo composto na sua maioria de descendentes de escravos. Ainda hoje, muita gente acredita que a introdução de 100 mil ou 200 mil chins seria um fato sem consequências étnicas e sociais importantes, mesmo depois de cinco ou seis gerações. O principal efeito da escravidão sobre a nossa população foi, assim, africanizá-la, saturá-la de sangue preto, como o principal efeito de qualquer grande empresa de imigração da China seria mongolizá-la, saturá-la de sangue amarelo.

Chamada para a escravidão, a raça negra, só pelo fato de viver e propagar-se, foi-se tornando um elemento cada vez mais considerável da população. A célebre frase que tanto destoou no parecer do padre Campos em 1871 — "Vaga Vênus arroja aos maiores excessos aquele ardente sangue líbico" —, traduzida em prosa, é a gênesis primitiva de grande parte do nosso povo. Foi essa a primeira vingança das vítimas. Cada ventre escravo dava ao senhor três ou quatro *crias* que ele reduzia a dinheiro; estas por sua vez multiplicavam-se, e assim os vícios do sangue africano acabavam de entrar na circulação geral do país.

Se, multiplicando-se a raça negra sem nenhum dos seus cruzamentos, se multiplicasse a raça branca por outro lado mais rapidamente, como nos Estados Unidos, o problema das raças seria outro, muito diverso — talvez mais sério, e quem sabe se solúvel somente pela expulsão da mais fraca e inferior por incompatíveis uma com a outra; mas isso não se deu no Brasil. As duas raças misturaram-se e confundiram-se; as combinações mais variadas dos elementos de cada uma tiveram lugar, e a estes juntaram-se os de uma terceira, a dos aborígines. Das três principais correntes de sangue que se confundiram nas nossas veias — o português, o africano e o indígena — a escravidão viciou sobretudo os dois primeiros. Temos aí um primeiro efeito sobre a população: o cruzamento dos caracteres da raça negra com os da branca, tais como se apresentam na escravidão; a mistura da degradação servil de uma com a imperiosidade brutal da outra.

No princípio da nossa colonização, Portugal descarregava no nosso território os seus criminosos, as suas mulheres *erradas*,[1] as suas fezes sociais todas, no meio das quais excepcionalmente vinham imigrantes de outra posição, e, por felicidade, grande número de judeus. O Brasil se apresentava então como até ontem o Congo. No século XVI ou XVII o espírito de emigração não estava bastante desenvolvido em Portugal para mover o povo, como desde o fim do século passado até hoje, a procurar na América portuguesa o bem-estar e a fortuna que não achava na península. Os poucos portugueses que se arriscavam a atravessar o oceano à vela e a ir estabelecer-se nos terrenos incultos do Brasil representavam a minoria de espíritos aventureiros, absolutamente destemidos, indiferentes aos piores transes na luta da vida, minoria que em Portugal, hoje mesmo, não é grande e não podia sê-lo, há dois ou três séculos. Apesar de se haver estendido pelo mundo todo o domínio português, à América do Sul, à África ocidental, austral e oriental, à Índia e até à China, Portugal não tinha corpo, nem forças, para possuir mais do que nominalmente esse imenso império. Por isso, o território do Brasil foi distribuído entre donatários sem meios, nem capitais, nem recursos de ordem alguma, para colonizar as suas capitanias, isto é, de fato entregue aos jesuítas. A população europeia era insignificante para ocupar essas ilimitadas expansões de terra cuja fecundidade a tentava. Estando a África nas mãos de Portugal, começou então o povoamento da América por negros; lançou-se, por assim dizer, uma ponte entre a África e o Brasil, pela qual passaram milhões de africanos, e estendeu-se o *habitat* da raça negra das margens do Congo e do Zambezi às do São Francisco e do Paraíba do Sul.

Ninguém pode ler a história do Brasil no século XVI, no século XVII e em parte no século XVIII (excetuada unicamente a de Pernambuco), sem pensar que a todos os respeitos houvera sido melhor que o Brasil fosse descoberto três séculos mais tarde. Essa imensa região, mais favorecida que outra qualquer pela natureza, se fosse encontrada livre e desocupada há cem anos, teria provavelmente feito mais progressos até hoje do que a sua história recorda. A população seria menor, porém mais homogênea; a posse do solo talvez não se houvesse estendido tão longe, mas não houvera sido uma exploração ruinosa e esterilizadora; a nação não teria ainda chegado ao grau de crescimento que atingiu, mas também não mostraria já sintomas de decadência prematura.

Pretende um dos mais eminentes espíritos de Portugal que "a escravidão dos negros foi o duro preço da colonização da América, porque, sem ela, o Brasil não se teria tornado no que vemos".[2] Isso é exato, "sem ela, o Brasil não se teria tornado no que vemos"; mas esse preço quem o pagou, e está pagando, não foi Portugal, fomos nós; e esse preço a todos os respeitos é duro demais, e caro demais, para o desenvolvimento inorgânico, artificial e extenuante que tivemos. A africanização do Brasil pela escravidão é uma nódoa que a mãe-pátria imprimiu na sua própria face, na sua língua, e na única obra nacional verdadeiramente duradoura que conseguiu fundar. O eminente autor daquela frase é o próprio que nos descreve o que eram as carregações do tráfico:

> Quando o navio chegava ao porto de destino — uma praia deserta e afastada — o carregamento desembarcava; e, à luz clara do sol dos trópicos, aparecia uma coluna de esqueletos cheios de pústulas, com o ventre protuberante, as rótulas chagadas, a pele rasgada, comidos de bichos, com o ar parvo e esgazeado dos idiotas. Muitos não se tinham em pé: tropeçavam, caíam e eram levados aos ombros como fardos.

Não é com tais elementos que se vivifica moralmente uma nação.

Se Portugal tivesse tido no século XVI a intuição de que a escravidão é sempre um erro, e força bastante para puni-la como crime, o Brasil "não se teria tornado no que vemos"; seria ainda talvez uma colônia portuguesa, o que eu não creio, mas estaria crescendo sadio, forte e viril como o Canadá e a Austrália. É possível que nesse caso ele não houvesse tido forças para repelir o estrangeiro, como repeliu os holandeses, e seja exata a afirmação de que, a não serem os escravos, o Brasil teria passado a outras mãos e não seria português. Ninguém pode dizer o que teria sido a história se acontecesse o contrário do que aconteceu. Entre um Brasil arrebatado aos portugueses no século XVII, por estes não consentirem o tráfico, e explorado com escravos por holandeses ou franceses, e o Brasil, explorado com escravos pelos mesmos portugueses, ninguém sabe o que teria sido melhor para a história da nossa região. Entre o Brasil, explorado por meio de africanos livres por Portugal, e o mesmo Brasil, explorado com escravos também por portugueses, o primeiro a esta hora seria uma nação muito mais robusta do que é o último. Mas entre o que houve — a exploração da América do Sul por alguns portugueses cercados de um povo de escravos importados da África — e a proibição severa da escravidão na América portuguesa, a colonização gradual do território por europeus, por mais lento que fosse o processo, seria infinitamente mais vantajosa para o destino dessa vasta região do que o foi, e o será, o haverem-se espalhado por todo o território ocupado as raízes quase que inextirpáveis da escravidão.

Diz-se que a raça branca não se aclimaria no Brasil sem a imunidade que lhe proveio do cruzamento com os indígenas e os africanos. Em primeiro lugar, o mau elemento de população não foi a raça negra, mas essa raça reduzida ao cativeiro; em segundo lugar, nada prova que a raça branca, sobretudo as raças meridionais, tão cruzadas de sangue mouro e negro, não possam existir e desenvolver-se nos trópicos. Em todo caso, se a raça branca não se pode adaptar aos trópicos, em condições de fecundidade ilimitada, essa raça não há de indefinidamente prevalecer no Brasil: o desenvolvimento vigoroso dos mestiços há de por fim sobrepujá-la, a imigração europeia não bastará para manter o predomínio perpétuo de uma espécie de homens, à qual o sol e o clima são infensos. A ser assim, o Brasil ainda mesmo hoje, como povo europeu, seria uma tentativa de adaptação humana forçosamente efêmera; mas nada está menos provado do que essa incapacidade orgânica da raça branca para existir e prosperar em uma zona inteira da terra.

Admitindo-se, sem a escravidão, que o número dos africanos fosse o mesmo, e maior se se quiser, os cruzamentos teriam sempre ocorrido; mas a família teria aparecido desde o começo. Não seria o cruzamento pelo concubinato, pela promiscuidade das senzalas, pelo abuso da força do senhor; o filho não nasceria debaixo do açoite, não seria levado para a roça ligado às costas da mãe, obrigada à tarefa da enxada; o leite desta não seria utilizado, como o de cabra, para alimentar outras crianças, ficando para o próprio filho as últimas gotas que ela pudesse forçar do seio cansado e seco; as mulheres não fariam o trabalho dos homens, não iriam para o serviço do campo ao sol ardente do meio-dia, e poderiam, durante a gravidez, atender ao seu estado. Não é do cruzamento que se trata; mas sim da reprodução no cativeiro, em que o interesse verdadeiro da mãe era que o filho não vingasse. Calcule-se o que a exploração dessa bárbara indústria — expressa em 1871 nas seguintes palavras dos fazendeiros do Piraí: "a parte mais produtiva da propriedade escrava é o ventre gerador" — deva ter sido durante três séculos sobre milhões de mulheres. Tome-se a família branca, como ser moral, em três gerações, e veja-se qual foi o rendimento para essa família de uma só escrava comprada pelo seu fundador.

A história da escravidão africana na América é um abismo de degradação e miséria que se não pode sondar, e, infelizmente, essa é a história do crescimento do Brasil. No ponto a que chegamos, olhando para o passado, nós, brasileiros, descendentes ou da raça que escreveu essa triste página da humanidade ou da raça com cujo sangue ela foi escrita, ou da fusão de uma e outra, não devemos perder tempo a nos envergonharmos desse longo passado que não podemos lavar, dessa hereditariedade que não há como repelir. Devemos fazer convergir todos os nossos esforços para o fim de eliminar a escravidão do nosso organismo, de forma que essa fatalidade nacional diminua em nós e se transmita às gerações futuras, já mais apagada, rudimentar, e atrofiada.

Muitas das influências da escravidão podem ser atribuídas à raça negra, ao seu desenvolvimento mental atrasado, aos seus instintos bárbaros ainda, às suas superstições grosseiras. A fusão do catolicismo, tal como o apresentava ao nosso povo o fanatismo dos missionários, com a feitiçaria africana — influência ativa e extensa nas camadas inferiores, intelectualmente falando, da nossa população, e que pela ama de leite, pelos contatos da escravidão doméstica, chegou até aos mais notáveis dos nossos homens; a ação de doenças africanas sobre a constituição física de parte do nosso povo; a corrupção da língua, das maneiras sociais, da educação e outros tantos efeitos resultantes do cruzamento com uma raça num período mais atrasado de desenvolvimento; podem ser considerados isoladamente do cativeiro. Mas, ainda mesmo no que seja mais característico dos africanos importados, pode afirmar-se que, introduzidos no Brasil, em um período no qual não se dessem o fanatismo religioso, a cobiça, independente das leis, a escassez da população aclimada, e sobretudo a escravidão, doméstica e pessoal, o cruzamento entre brancos e negros não teria sido acompanhado do abastardamento da raça mais adiantada pela mais atrasada, mas da gradual elevação da última.

Não pode, para concluir, ser objeto de dúvida que a escravidão transportou da África para o Brasil mais de 2 milhões de africanos; que, pelo interesse do senhor na produção do ventre escravo, ela favoreceu quanto pôde a fecundidade das mulheres negras; que os descendentes dessa população formam pelo menos dois terços do nosso povo atual; que durante três séculos a escravidão, operando sobre milhões de indivíduos, em grande parte desse período sobre a maioria da população nacional, impediu o aparecimento regular da família nas camadas fundamentais do país; reduziu a procriação humana a um interesse venal dos senhores; manteve toda aquela massa pensante em estado puramente animal; não a alimentou, não a vestiu suficientemente; roubou-lhe as suas economias, e nunca lhe pagou os seus salários; deixou-a cobrir-se de doenças, e morrer ao abandono; tornou impossíveis para ela hábitos de previdência, de trabalho voluntário, de responsabilidade própria, de dignidade pessoal; fez dela o jogo de todas as paixões baixas, de todos os caprichos sensuais, de todas as vinditas cruéis de uma outra raça.

É quase impossível acompanhar a ação de tal processo nessa imensa escala — inúmeras vezes realizado por descendentes de escravos — em todas as direções morais e intelectuais em que ele operou e opera; nem há fator social que exerça a mesma extensa e profunda ação psicológica que a escravidão quando faz parte integrante da família. Pode-se descrever essa influência, dizendo que a escravidão cercou todo o espaço ocupado do Amazonas ao Rio Grande do Sul de um ambiente fatal a todas as qualidades viris e nobres, humanitárias e progressivas, da nossa espécie; criou um ideal de pátria grosseiro, mercenário, egoísta e retrógrado, e nesse molde fundiu durante séculos as três raças heterogêneas que hoje constituem a nacionalidade brasileira. Em outras palavras ela tornou, na frase do direito medievo, em nosso território o próprio ar — *servil*, como o ar das aldeias da Alemanha que nenhum homem livre podia habitar sem perder a liberdade. *Die Luft leibeigen war* é uma frase que, aplicada ao Brasil todo, melhor que outra qualquer, sintetiza a obra *nacional* da escravidão: ela criou uma atmosfera que nos envolve e abafa todos, e isso no mais rico e admirável dos domínios da terra.

Influência sobre o território e a população do interior

"Não há um senhor de escravos nesta casa ou fora dela que não saiba perfeitamente bem que se a escravidão ficar fechada dentro de certos limites especificados, a sua existência futura estará condenada. A escravidão não pode encerrar-se dentro de limites certos sem produzir a destruição não só do senhor, como também do escravo."[1]

Em 1880 a Assembleia Provincial do Rio de Janeiro dirigiu à Assembleia Geral uma representação em que se lê o seguinte trecho:

> É desolador o quadro que se oferece às vistas do viajante que percorre o interior da província, e mais precária é sua posição nos municípios de serra abaixo, onde a fertilidade primitiva do solo já se esgotou e a incúria deixou que os férteis vales se transformassem em lagoas profundas que intoxicam todos aqueles que delas se avizinham. Os infelizes habitantes do campo, sem direção, sem apoio, sem exemplos, não fazem parte da comunhão social, não consomem, não produzem. Apenas tiram da terra alimentação incompleta quando não encontram a caça e a pesca das coitadas e viveiros dos grandes proprietários. Destarte são considerados uma verdadeira praga, e convém não esquecer que mais grave se tornará a situação quando a esses milhões de párias se adicionar o milhão e meio de escravos, que hoje formam os núcleos das grandes fazendas.

Essas palavras insuspeitas, de uma assembleia escravagista, descrevem a obra da escravidão: aonde ela chega queima as florestas, minera e esgota o solo, e quando levanta as suas tendas deixa após si um país devastado em que consegue vegetar uma população miserável de proletários nômades.

O que se dá no Rio de Janeiro, dá-se em todas as outras províncias onde a escravidão se implantou. André Rebouças, descrevendo o estado atual do Recôncavo da Bahia, esse antigo paraíso do tráfico, fez o quadro da triste condição dos terrenos, ainda os mais férteis, por onde passa aquela praga.[2] Quem vai embarcado a Nazaré e para em Jaguaripe e Maragogipinho, ou vai pela estrada de ferro a Alagoinhas, e além, vê que a escravidão, ainda mesmo vivificada e alentada pelo vapor e pela locomotiva, é em si um princípio de morte inevitável mais ou menos lenta. Não há à margem do rio, nem da estrada, senão sinais de vida decadente e de atrofia em começo. A indústria grosseira do barro é explorada, em alguns lugares, do modo mais primitivo; em Jaguaripe os edifícios antigos, como a igreja, do período florescente da escravidão, contrastam com a paralisia de hoje.

A verdade é que as vastas regiões exploradas pela escravidão colonial têm um aspecto único de tristeza e abandono: não há nelas o consórcio do homem com a terra, as feições da habitação permanente, os sinais do crescimento natural. O passado está aí visível; não há, porém, prenúncio do futuro: o presente é o definhamento gradual que precede a morte. A população não possui definitivamente o solo: o grande proprietário conquistou-o à natureza com os seus escravos, explorou-o, enriqueceu por ele extenuando-o, depois faliu pelo emprego extravagante que tem quase sempre a fortuna mal adquirida, e, por fim, esse solo voltou à natureza, estragado e exausto.

É assim que nas províncias do Norte a escravidão se liquidou, ou está liquidando, pela ruína de todas as suas antigas empresas. O ouro realizado pelo açúcar foi largamente empregado em escravos, no luxo desordenado da vida senhorial; as propriedades, com a extinção dos vínculos, passaram das antigas famílias da terra, por hipotecas ou pagamento de dívidas, para outras mãos; e os descendentes dos antigos morgados e senhores territoriais acham-se hoje reduzidos à mais precária condição imaginável, na Bahia, no Maranhão, no Rio e em Pernambuco, obrigados a se recolherem ao grande asilo das fortunas desbaratadas da escravidão que é o funcionalismo público. Se, por acaso, o Estado despedisse todos os seus pensionistas e empregados, ver-se-ia a situação real a que a escravidão reduziu os representantes das famílias que a exploraram no século passado e no atual, isto é, como ela liquidou-se, quase sempre pela bancarrota das riquezas que produziu. E o que temos visto é nada em comparação do que havemos de ver.

O Norte todo do Brasil há de recordar, por muito tempo, que o resultado final daquele sistema é a pobreza e a miséria do país. Nem é de admirar que a cultura do solo por uma classe sem interesse algum no trabalho que lhe é extorquido dê esses resultados. Como se sabe o regímen da terra sob a escravidão consiste na divisão de todo o solo explorado em certo número de grandes propriedades.[3] Esses feudos são logo isolados de qualquer comunicação com o mundo exterior; mesmo os agentes do pequeno comércio, que neles penetram, são suspeitos ao senhor, e os escravos que nascem e morrem dentro do horizonte do engenho ou da fazenda são praticamente galés. A divisão de uma vasta província em verdadeiras colônias penais, refratárias ao progresso, pequenos ashantis em que impera uma só vontade, entregue, às vezes, a administradores saídos da própria classe dos escravos, e sempre a feitores, que em geral são escravos sem entranhas, não pode trazer benefício algum permanente à região parcelada, nem à população livre que nela mora, por favor dos donos da terra, em estado de contínua dependência.

Por isso também, os progressos do interior são nulos em trezentos anos de vida nacional. As cidades, a que a presença dos governos provinciais não dá uma animação artificial, são por assim dizer mortas. Quase todas são decadentes. A capital centraliza todos os fornecimentos para o interior; é com o correspondente do Recife, da Bahia ou do Rio que o senhor de engenho e o fazendeiro se entendem, e, assim, o comércio dos outros municípios da província é nenhum. O que se dá na Bahia e em Pernambuco dá-se em toda parte. A vida provincial está concentrada nas capitais, e a existência que estas levam, o pouco progresso que fazem, o lento crescimento que têm, mostram que essa centralização, longe de derramar vida pela província, fá-la definhar. Essa falta de centros locais é tão grande que o mapa de cada província poderia ser feito sem se esconder nenhuma cidade florescente, notando-se apenas as capitais. Muitas destas mesmo constam de insignificantes coleções de casas, cujo material todo, e tudo o que nelas se contém, não bastaria para formar uma cidade norte-americana de décima ordem. A vida nas outras é precária, falta tudo o que é bem-estar; não há água encanada nem iluminação a gás, a municipalidade não tem a renda de um particular medianamente abastado, não se encontra o rudimento, o esboço sequer, dos órgãos funcionais de uma *cidade*. São esses os *grandes* resultados da escravidão em trezentos anos.

Ao lado dessa velhice antecipada de povoações, que nunca chegaram a desenvolver-se, e muitas das quais hão de morrer sem passar do que são hoje, imagine-se a improvisação de uma cidade americana do Far-West, ou o crescimento rápido dos estabelecimentos da Austrália. Em poucos anos nos Estados Unidos uma povoação cresce, passa pelos sucessivos estados, levanta-se sobre uma planta na qual foram antes de tudo marcados os locais dos edifícios necessários à vida moral da comunhão, e quando chega a ser cidade é um todo cujas diversas partes se desenvolveram harmonicamente.

Mas essas cidades são o centro de uma pequena zona que se desenvolveu, também, de modo radicalmente diverso da nossa zona agrícola. Fazendas ou engenhos isolados, com uma fábrica de escravos, com os moradores das terras na posição de agregados do estabelecimento, de camaradas ou capangas; onde os proprietários não permitem relações entre o seu povo e estranhos; divididos, muitas vezes, entre si por questões de demarcação de terras, tão fatais num país onde a justiça não tem meios contra os potentados; não podem dar lugar à aparição de cidades internas, autônomas, que vivifiquem com os seus capitais e recursos a zona onde se estabeleçam. Tome-se o Cabo, ou Valença, ou qualquer outra cidade do interior de qualquer província, e há de ver-se que não tem vida própria, que não preenche função alguma definitiva na economia social. Uma ou outra que apresenta, como Campinas ou Campos, uma aparência de florescimento, é porque está na fase do brilho meteórico que as outras também tiveram, e da qual a olho desarmado pode reconhecer-se o caráter transitório.

O que se observa no Norte, observa-se no Sul, e observar-se-ia melhor ainda se o café fosse destronado pela *Hemyleia vastatrix*. Enquanto durou a idade do ouro do açúcar, o Norte apresentava um espetáculo que iludia a muitos. As casas, os chamados palacetes, da aristocracia territorial na Bahia e no Recife, as librés dos lacaios, as liteiras, as cadeirinhas, e as carruagens nobres, marcam o monopólio florescente da cana — quando a beterraba ainda não havia aparecido no horizonte. Assim também as riquezas da lavoura do Sul, de fato muito exageradas, de liquidação difícil, mas apesar de tudo consideráveis, e algumas, para o país, enormes, representam a prosperidade temporária do café. A concorrência há de surgir, como surgiu para o açúcar. É certo que este pode ser extraído de diversas plantas, ao passo que o café só é produzido pelo cafeeiro; mas diversos países o estão cultivando e hão de produzi-lo mais barato, sobretudo pelo custo do transporte, além de que o Ceilão já mostrou os pés de barro dessa lavoura única.

Quando passar o reinado do café, e os preços baixos já serviram de prenúncio, o Sul há de ver-se reduzido ao estado do Norte. Ponhamos São Paulo e o extremo Sul de lado, e consideremos o Rio de Janeiro e Minas Gerais. Sem o café, uma e outra são duas províncias decrépitas. Ouro Preto não representa hoje na vida nacional maior papel do que representou Vila Rica nos dias em que a casa de Tiradentes foi arrasada por sentença; Mariana, São João d'El-Rei, Barbacena, Sabará, Diamantina, ou estão decadentes, ou, apenas, conseguem não decair. É nos municípios do café que está a parte opulenta de Minas Gerais.

Com São Paulo dá-se um fato particular. Apesar de ser São Paulo o baluarte atual da escravidão, em São Paulo e nas províncias do Sul ela não causou tão grandes estragos; é certo que São Paulo empregou grande parte do seu capital na compra de escravos do Norte, mas a lavoura não depende tanto quanto a do Rio de Janeiro e a de Minas Gerais da escravidão para ser reputada solvável.

Tem-se exagerado muito a iniciativa paulista nos últimos anos, por haver a província feito estradas de ferro sem socorro do Estado, depois que viu os resultados da estrada de ferro de Santos a Jundiaí; mas, se os paulistas não são, como foram chamados, os *yankees* do Brasil, o qual não tem *yankees* — nem São Paulo é a província mais adiantada, nem a mais americana, nem a mais liberal de espírito do país; será a Louisiana do Brasil, não o Massachusetts —, não é menos certo que a província, por ter entrado no seu período florescente no fim do domínio da escravidão, há de revelar na crise maior elasticidade do que as suas vizinhas.

No Paraná, em Santa Catarina, no Rio Grande, a imigração europeia infunde sangue novo nas veias do povo, reage contra a escravidão constitucional, ao passo que a virgindade das terras e a suavidade do clima abrem, ao trabalho livre, horizontes maiores do que teve o escravo. No vale do Amazonas, igualmente, a posse da escravidão sobre o território foi até hoje nominal; a pequena população formou-se diversamente, longe de senzalas; a navegação a vapor do grande mediterrâneo brasileiro só começou há trinta anos, e a imensa bacia do Amazonas, cujos tributários são como o Madeira, o Tocantins, o Purus, o Tapajós, o Xingu, o Juruá, o Javari, o Tefé, o Japurá, o Rio Negro, cursos de água de mais de mil, 2 mil, e mesmo 3 mil quilômetros, está assim ainda por explorar, em grande parte no poder dos indígenas, perdida para a indústria, para o trabalho, para a civilização. O atraso dessa vastíssima área pode ser imaginado pela descrição que faz dela o sr. Couto de Magalhães, o explorador do Araguaia, no seu livro *O selvagem*. É um território, conta-nos ele, ou coberto de florestas alagadas, nas quais se navega em canoas como nos pantanais do Paraguai, ou de campinas abertas e despovoadas com algum arvoredo rarefeito.

Os 3 milhões de quilômetros quadrados de duas das províncias em que se divide a bacia do Amazonas, o Pará e o Amazonas, com espaço para quase seis países como a França, e com o território vazio limítrofe para toda a Europa menos a Rússia, não tem uma população de 500 mil habitantes. O estado dessa região é tal que em 1878 o governo brasileiro fez concessão por vinte anos do vale do alto Xingu, um tributário do Amazonas cujo curso é calculado em cerca de 2 mil quilômetros, com todas as suas produções e tudo o que nele se achasse, a alguns negociantes do Pará! O Parlamento não ratificou essa doação; mas o fato de ter sido ela feita mostra como, praticamente, ainda é *res nullius* a bacia do Amazonas. Os seringais, apesar da sua imensa extensão, têm sido grandemente destruídos, e essa riqueza natural do grande vale está ameaçada de desaparecer, porque o caráter da indústria extrativa é tão ganancioso, e por isso esterilizador, no regímen da escravidão como o da cultura do solo. O regatão é o agente da destruição no Amazonas como o senhor de escravos o foi no Norte e no Sul.

"Por toda parte", dizia no seu relatório à Assembleia Provincial do Pará em 1862 o presidente Brusque,[4]

> onde penetra o homem civilizado nas margens dos rios inabitados, ali encontra os traços não apagados dessa população [os indígenas] que vagueia sem futuro. E a pobre aldeia, as mais das vezes por eles mesmos erguida em escolhida paragem, onde a terra lhes oferece mais ampla colheita da pouca mandioca que plantam, desaparece de todo, pouco tempo depois da sua lisonjeira fundação. O regatão, formidável cancro que corrói as artérias naturais do comércio lícito das povoações centrais, desviando delas a concorrência dos incautos consumidores, não contente com os fabulosos lucros que assim aufere, transpõe, audaz, enormes distâncias e lá penetra também na choça do índio. Então a aldeia se converte para logo num bando de servidores, que distribui a seu talante, mais pelo rigor do que pela brandura, nos diversos serviços que empreendem na colheita dos produtos naturais. Pelo abandono da aldeia, se perde a roça, a choça desaparece, e o mísero índio, em recompensa de tantos sacrifícios e trabalhos, recebe muitas vezes *uma calça e uma camisa*.

Esses regatões, de quem disse o bispo do Pará,[5] que "embriagam os chefes das casas para mais facilmente desonrar-lhes as famílias", que "não há imoralidade que não pratiquem", não são mais do que o produto da escravidão, estabelecida nas capitais, atuando sobre o espírito cúpido e aventureiro de homens sem educação moral.

Como a aparência de riqueza, que a extração da borracha dá ao vale do Amazonas, foi a do açúcar e do café cultivado pelos processos e com o espírito da escravidão. O progresso e crescimento da capital contrastam com a decadência do interior. É o mesmo em toda parte. Com a escravidão não há centros locais, vida de distrito, espírito municipal; as paróquias não tiram benefícios da vizinhança de potentados ricos; a aristocracia que possui a terra não se entrega a ela, não trata de torná-la a morada permanente, saudável e cheia de conforto de uma população feliz; as famílias são todas nômadas enquanto gravitam para o mesmo centro, que é a Corte. A fazenda ou o engenho serve para cavar o dinheiro que se vai gastar na cidade, para a hibernação e o aborrecimento de uma parte do ano. A terra não é fertilizada pelas economias do pobre, nem pela generosidade do rico; a pequena propriedade não existe senão por tolerância,[6] não há as classes médias que fazem a força das nações. Há o opulento senhor de escravos, e proletários. A nação, de fato, é formada de proletários, porque os descendentes dos senhores logo chegam a sê-lo.

É um triste espetáculo essa luta do homem com o território por meio do trabalho escravo. Em parte alguma o solo adquire vida; os edifícios que nele se levantam são uma forma de luxo passageiro e extravagante, destinada a pronta decadência e abandono. A população vive em choças onde o vento e a chuva penetram, sem soalho nem vidraças, sem móveis nem conforto algum, com a rede do índio ou o estrado do negro por leito, a vasilha de água e a panela por utensílios, e a viola suspensa ao lado da imagem. Isso é no campo; nas pequenas cidades e vilas do interior, as habitações dos pobres, dos que não têm emprego nem negócio, são pouco mais que essas miseráveis palhoças do agregado ou do morador. Nas capitais de ruas elegantes e subúrbios aristocráticos, estende-se, como nos Afogados no Recife, às portas da cidade, o bairro da pobreza com a sua linha de cabanas que parecem, no século XIX, residências de animais, como nas calçadas mais frequentadas da Bahia; e nas praças do Rio, ao lado da velha casa nobre, que fora de algum antigo morgado ou de algum traficante enobrecido, vê-se o miserável e esquálido antro do africano, como a sombra grotesca dessa riqueza efêmera e do abismo que a atrai.

Quem vê os caminhos de ferro que temos construído, a imensa produção de café que exportamos, o progresso material que temos feito, pensa que os resultados da escravidão não são assim tão funestos ao território. É preciso, porém, lembrar que a aparência atual de riqueza e prosperidade provém de um produto só — quando a população do país excede de 10 milhões — e que a liquidação forçada desse produto seria nada menos do que uma catástrofe financeira. A escravidão está no Sul no apogeu, no seu grande período industrial, quando tem terras virgens, como as de São Paulo a explorar, e um gênero de exportação precioso a produzir. A empresa, neste momento, porque ela não é outra coisa, está dando algum lucro aos associados. Lucro de que partilham todas as classes intermédias do comércio, comissários, ensacadores, exportadores; cujas migalhas sustentam uma clientela enorme de todas as profissões, desde o camarada que faz o serviço de votante até ao médico, ao advogado, ao vigário, ao juiz de paz; e do qual por fim uma parte, e não pequena, é absorvida pelo Tesouro para manutenção da cauda colossal do nosso orçamento — o funcionalismo público. Com essa porcentagem dos proventos da escravidão, o Estado concede garantia de juros de 7% a companhias inglesas que constroem estradas de ferro no país, e assim o capital estrangeiro, atraído pelos altos juros e pelo crédito intato de uma nação que parece solvável, vai tentar fortuna em empresas como a Estrada de Ferro de São Paulo, que têm a dupla garantia do Brasil e — do café.

Mas essa ilusão toda de riqueza, de desenvolvimento nacional, criada por este, como a do açúcar e a do algodão no Norte, como a da borracha no vale do Amazonas, como a do ouro em Minas Gerais, não engana a quem a estuda e observa nos seus contrastes, na sombra que ela projeta. A realidade é um povo antes escravo do que senhor do vasto território que ocupa; a cujos olhos o trabalho foi sistematicamente aviltado; ao qual se ensinou que a nobreza está em fazer trabalhar; afastado da escola; indiferente a todos os sentimentos, instintos, paixões e necessidades, que formam dos habitantes de um mesmo país, mais do que uma simples sociedade — uma nação. Quando o sr. Silveira Martins disse no Senado: "O Brasil é o café, e o café é o negro" — não querendo por certo dizer o escravo — definiu o Brasil como fazenda, como empresa comercial de uma pequena minoria de interessados, em suma, o Brasil da escravidão atual. Mas basta que um país, muito mais vasto do que a Rússia da Europa, quase o dobro da Europa sem a Rússia, mais de um terço do Império Britânico nas cinco partes do mundo, povoado por mais de 10 milhões de habitantes, possa ser descrito daquela forma, para se avaliar o que a escravidão fez dele.

Esse terrível azorrague não açoitou somente as costas do homem negro; macerou as carnes de um povo todo. Pela ação de leis sociais poderosas, que decorrem da moralidade humana, essa fábrica de espoliação não podia realizar bem algum, e foi, com efeito, um flagelo que imprimiu na face da sociedade e da terra todos os sinais da decadência prematura. A fortuna passou das mãos dos que a fundaram às dos credores; poucos são os netos de agricultores que se conservam à frente das propriedades que seus pais herdaram; o adágio "pai rico, filho nobre, neto pobre" expressa a longa experiência popular dos hábitos da escravidão, que dissiparam todas as riquezas, não raro no exterior e, como temos visto, em grande parte, eliminaram da reserva nacional o capital acumulado naquele regímen.

A escravidão explorou parte do território estragando-o, e não foi além, não o abarcou todo, porque não tem iniciativa para migrar, e só avidez para estender-se. Por isso, o Brasil é ainda o maior pedaço de terra incógnita no mapa do globo.

"Num Estado de escravos", diz o sr. T. R. Cobb, da Geórgia,[7]

> a maior prova de riqueza no agricultor é o número dos escravos. A melhor propriedade, para emprego de capital, são os escravos. A melhor propriedade a deixar aos filhos, e da qual se separam com maior relutância, são os escravos. Por isso, o agricultor emprega o excesso da sua renda em escravos. O resultado natural é que as terras são uma consideração secundária. Não fica saldo para melhorá-las. O estabelecimento tem valor somente enquanto as terras adjacentes são proveitosas para o cultivo. Não tendo o agricultor afeições locais, os filhos não as herdam. Pelo contrário, ele mesmo os anima a irem em busca de novas terras. O resultado é que, como classe, nunca estão estabelecidos. Essa população é quase nômada. É inútil procurar excitar emoções patrióticas em favor da terra do nascimento, quando o interesse próprio fala tão alto. Por outro lado, onde a escravidão não existe, e os lucros do agricultor não podem ser empregados em trabalhadores, são aplicados em melhorar ou estender a sua propriedade e aformosear o seu solar.

Foi isso o que aconteceu entre nós, sendo que em parte alguma a cultura do solo foi mais destruidora. A última seca do Ceará pôs, do modo mais calamitoso, em evidência uma das maldições que sempre acompanharam, quando não precederam, a marcha da escravidão, isto é, a destruição das florestas pela queimada. "O machado e o fogo são os cruéis instrumentos", escreve o senador Pompeu, "com que uma população, ignara dos princípios rudimentares da economia rural, e herdeira dos hábitos dos aborígines, há dois séculos desnuda sem cessar as nossas serras e vales dessas florestas virgens, só para aproveitar-se o adubo de um roçado em um ano."[8] A cada passo encontramos e sentimos os vestígios desse sistema, que reduz um belo país tropical da mais exuberante natureza ao aspecto das regiões onde se esgotou a força criadora da terra.

Para resumir-me, num campo de observação que exigiria um livro à parte, a influência da escravidão, sobre o território e a população que vive dele, foi em todos os sentidos desastrosa. Como exploração do país, os seus resultados são visíveis na carta geográfica do Brasil, na qual os pontos negros do seu domínio são uma área insignificante comparada à área desconhecida ou despovoada; como posse do solo explorado, nós vimos o que ela foi e é. O caráter da sua cultura é a improvidência, a rotina, a indiferença pela máquina, o mais completo desprezo pelos interesses do futuro, a ambição de tirar o maior lucro imediato com o menor trabalho próprio possível, qualquer que seja o prejuízo das gerações seguintes. O parcelamento feudal do solo que ela instituiu, junto ao monopólio do trabalho que possui, impede a formação de núcleos de população industrial e a extensão do comércio no interior. Em todos os sentidos foi ela, e é, um obstáculo ao desenvolvimento material dos municípios: explorou a terra sem atenção à localidade, sem reconhecer deveres para com o povo de fora das suas porteiras; queimou, plantou e abandonou; consumiu os lucros na compra de escravos e no luxo da cidade; não edificou escolas, nem igrejas, não construiu pontes, nem melhorou rios, não canalizou a água nem fundou asilos, não fez estradas, não construiu casas, sequer para os seus escravos, não fomentou nenhuma indústria, não deu valor venal à terra, não fez benfeitorias, não granjeou o solo, não empregou máquinas, não concorreu para progresso algum da zona circunvizinha. O que fez foi esterilizar o solo pela sua cultura extenuativa, embrutecer os escravos, impedir o desenvolvimento dos municípios, e espalhar em torno dos feudos senhoriais o aspecto das regiões miasmáticas, ou devastadas pelas instituições que suportou, aspecto que o homem livre instintivamente reconhece. Sobre a população toda do nosso interior, ou às orlas das capitais ou nos páramos do sertão, os seus efeitos foram: dependência, miséria, ignorância, sujeição ao arbítrio dos potentados — para os quais o recrutamento foi o principal meio de ação; a falta de um canto de terra que o pobre pudesse chamar seu, ainda que por certo prazo, e cultivar como próprio; de uma casa que fosse para ele um asilo inviolável e da qual não o mandassem esbulhar à vontade; da família — respeitada e protegida. Por último, essa população foi por mais de três séculos acostumada a considerar o trabalho no campo como próprio de escravos. Saída quase toda das senzalas, ela julga aumentar a distância que a separa daqueles, não fazendo livremente o que eles fazem forçados.

Mais de uma vez, tenho ouvido referir que se oferecera dinheiro a um dos nossos sertanejos por um serviço leve e que este recusara prestá-lo. Isso não me admira. Não se lhe oferecia um salário certo. Se lhe propusessem um meio de vida permanente, que melhorasse a sua condição, ele teria provavelmente aceitado a oferta. Mas, quando não a aceitasse, admitindo-se que os indivíduos com quem se verificaram tais fatos representem uma classe de brasileiros que se conta por milhões, como muitos pretendem, a dos que recusam trabalhar por salário, que melhor prova da terrível influência da escravidão? Durante séculos ela não consentiu mercado de trabalho e não se serviu senão de escravos; o trabalhador livre não tinha lugar na sociedade, sendo um nômade, um mendigo, e por isso em parte nenhuma achava ocupação fixa; não tinha em torno de si o incentivo que desperta no homem pobre a vista do bem-estar adquirido por meio do trabalho por indivíduos da sua classe, saídos das mesmas camadas que ele. E como vivem, como se nutrem, esses milhões de homens, porque são milhões que se acham nessa condição intermédia, que não é o escravo, mas também não é o cidadão; cujo único contingente para o sustento da comunhão, que aliás nenhuma proteção lhes garante, foi sempre o do sangue, porque essa era a massa recrutável, os feudos agrícolas roubando ao exército os senhores e suas famílias, os escravos, os agregados, os moradores, e os brancos?

As habitações já as vimos. São quatro paredes, separadas no interior por uma divisão em dois ou três cubículos infectos, baixas e esburacadas, abertas à chuva e ao vento, pouco mais do que o curral, menos do que a estrebaria. É nesses ranchos que vivem famílias de cidadãos brasileiros! A alimentação corresponde à independência de hábitos sedentários causada pelas moradas. É a farinha de mandioca que forma a base da alimentação, na qual entra, como artigo de luxo, o bacalhau da Noruega ou o charque do rio da Prata. "Eles vivem diretamente" — diz o sr. Milet, referindo-se à população que está "fora do movimento geral das trocas internacionais", avaliada por ele na quinta parte da população do Brasil, e que faz parte desses milhões de párias livres da escravidão — "da caça e da pesca, dos frutos imediatos do seu trabalho agrícola, da criação do gado e dos produtos de uma indústria rudimentar."[9]

Foi essa a população que se foi internando, vivendo como ciganos, aderindo às terras das fazendas ou dos engenhos onde achava agasalho, formando-se em pequenos núcleos nos interstícios das propriedades agrícolas, edificando as suas quatro paredes de barro onde se lhe dava permissão para fazê-lo, mediante condições de vassalagem que constituíam os moradores em servos da gleba.

Para qualquer lado que se olhe, esses efeitos foram os mesmos. *Latifundia perdidere Italiam*, é uma frase que soa como uma verdade tangível aos ouvidos do brasileiro. Compare por um momento, quem viajou nos Estados Unidos ou na Suíça, o aspecto do país, da cultura, da ocupação do solo pelo homem. Diz-se que o Brasil é um país novo; sim, é um país novo em algumas partes, virgem mesmo, mas em outras é um país velho; há mais de trezentos anos que as terras foram primeiro debastadas, as florestas abatidas, e plantados os canaviais. Tome-se Pernambuco, por exemplo, onde no século XVI João Pais Barreto fundou o morgado do Cabo; que tinha no século XVII durante a ocupação holandesa bom número de engenhos de açúcar; que lutou palmo a palmo contra a Companhia das Índias Ocidentais para seguir a sorte de Portugal e compare-se essa província heroica de mais de trezentos anos com países, por assim dizer, de ontem, como as colônias da Austrália e a Nova Zelândia; com os últimos estados que entraram para a União Americana. Se não fora a escravidão, o nosso crescimento não seria por certo tão rápido como o dos países ocupados pela raça inglesa; Portugal não poderia vivificar-nos, desenvolver-nos com os seus capitais, como faz a Inglaterra com as suas colônias; o valor do homem seria sempre menor, e portanto o do povo e o do Estado. Mas, por outro lado, sem a escravidão não teríamos hoje em existência um povo criado fora da esfera da civilização, e que herdou grande parte das suas tendências, por causa das privações que lhe foram impostas e do regímen brutal a que o sujeitaram, da raça mais atrasada e primitiva, corrigindo assim, felizmente, a hereditariedade da outra, é certo mais adiantada, porém cruel, desumana, ávida de lucros ilícitos, carregada de crimes atrozes: aquela que responde pelos milhões de vítimas de três séculos de escravatura.

Onde quer que se a estude, a escravidão passou sobre o território e os povos que a acolheram como um sopro de destruição. Ou se a veja nos ergástulos da antiga Itália, nas aldeias da Rússia, nas plantações dos Estados do Sul, ou nos engenhos e fazendas do Brasil, ela é sempre a ruína, a intoxicação e a morte. Durante um certo período ela consegue esconder, pelo intenso brilho metálico do seu pequeno núcleo, a escuridão que o cerca por todos os lados; mas, quando esse período de combustão acaba, vê-se que a parte luminosa era um ponto insignificante comparado à massa opaca, deserta e sem vida do sistema todo. Dir-se-ia que, assim como a matéria não faz senão transformar-se, os sofrimentos, as maldições, as interrogações mudas a Deus, do escravo, condenado ao nascer a galés perpétuas, criança desfigurada pela ambição do dinheiro, não se extinguem de todo com ele, mas espalham nesse *vale de lágrimas* da escravidão, em que ele viveu, um fluido pesado, fatal ao homem e à natureza.

"É uma terrível pintura", diz o grande historiador alemão de Roma,

> essa pintura da Itália sob o governo da oligarquia. Não havia nada que conciliasse ou amortecesse o fatal contraste entre o mundo dos mendigos e o mundo dos ricos. A riqueza e a miséria ligadas estreitamente uma com outra expulsaram os italianos da Itália, e encheram a península em parte com enxames de escravos, em parte com silêncio sepulcral. É uma terrível pintura, não, porém, uma que seja particular à Itália; em toda parte onde o governo dos capitalistas, num país de escravos, se desenvolveu completamente, devastou o belo mundo de Deus da mesma forma. A Itália ciceroniana, como a Helas de Políbio, como a Cartago de Aníbal. Todos os grandes crimes, de que o capital é culpado para com a nação e a civilização no mundo moderno, ficam sempre tão abaixo das abominações dos antigos Estados capi-

> talistas, como o homem livre, por mais pobre que seja, fica superior ao escravo, e só quando a semente de dragão da América do Norte houver amadurecido, terá o mundo que colher frutos semelhantes.[10]

No Brasil essas sementes espalhadas por toda parte germinaram há muito. E se o mundo não colheu os mesmos frutos, nem sabe que os estamos colhendo, é porque o Brasil não representa nele papel algum e está escondido à civilização "pelos últimos restos do escuro nevoeiro que pesa ainda sobre a América".[11]

Influências sociais e políticas da escravidão

Não é somente como instrumento produtivo que a escravidão é apreciada pelos que a sustentam. É ainda mais pelos seus resultados políticos e sociais, como o meio de manter uma forma de sociedade na qual os senhores de escravos são os únicos depositários do prestígio social e poder político, como a pedra angular de um edifício do qual eles são os donos, que esse sistema é estimado. Aboli a escravidão e introduzireis uma nova ordem de coisas.

PROFESSOR CAIRNES

Depois da ação que vimos do regímen servil, sobre o território e a população, os seus efeitos sociais e políticos são meras consequências. Um governo livre, edificado sobre a escravidão, seria virgem na história. Os governos antigos não foram baseados sobre os mesmos alicerces da liberdade individual que os modernos e representam uma ordem social muito diversa. Só houve um grande fato de democracia combinada com a escravidão, depois da Revolução Francesa — os Estados Unidos; mas os Estados do Sul nunca foram governos livres. A liberdade americana, tomada a União como um todo, data, verdadeiramente, da proclamação de Lincoln que declarou livres os milhões de escravos do Sul. Longe de serem países livres, os Estados ao sul do Potomac eram sociedades organizadas sobre a violação de todos os direitos da humanidade. Os estadistas americanos, como Henry Clay e Calhoun, que transigiram ou se identificaram com a escravidão não calcularam a força do antagonismo que devia, mais tarde, revelar-se tão formidável. O que aconteceu — a rebelião na qual o Sul foi salvo pelo braço do Norte do suicídio que ia cometer, separando-se da União para formar uma potência escravagista, e o modo como ela foi esmagada — prova que nos Estados Unidos a escravidão não afetara a constituição social toda, como entre nós; mas deixara a parte superior do organismo intata, e forte ainda bastante para curvar a parte até então dirigente à sua vontade, apesar de toda a sua cumplicidade com essa.

Entre nós, não há linha alguma divisória. Não há uma seção do país que seja diversa da outra. O contato foi sinônimo de contágio. A circulação geral, desde as grandes artérias até aos vasos capilares, serve de canal às mesmas impurezas. O corpo todo — sangue, elementos constitutivos, respiração, forças e atividade, músculos e nervos, inteligência e vontade, não só o caráter, senão o temperamento, e mais do que tudo a energia — acha-se afetado pela mesma causa.

Não se trata, somente, no caso da escravidão no Brasil, de uma instituição que ponha fora da sociedade um imenso número de indivíduos, como na Grécia ou na Itália antiga, e lhes dê por função social trabalhar para os cidadãos; trata-se de uma sociedade não só *baseada*, como era a civilização antiga, sobre a escravidão, e permeada em todas as classes por ela, mas também constituída, na sua maior parte, de secreções daquele vasto aparelho.

Com a linha divisória da cor, assim era, por exemplo, nos Estados do Sul da União. Os escravos e os seus descendentes não faziam parte da sociedade. A escravidão misturava, confundia, a população em escala muito pequena. Estragava o solo, impedia as indústrias, preparava a bancarrota econômica, afastava a imigração, produzia, enfim, todos os resultados dessa ordem que vimos no Brasil; mas a sociedade americana não era formada de unidades, criadas por esse processo. A emenda constitucional, alterando tudo isso, incorporou os negros na comunhão social, e mostrou como são transitórias as divisões que impedem artificialmente ou raças ou classes de tomar o seu nível natural.

Mas, enquanto durou a escravidão, nem os escravos nem os seus descendentes livres concorreram, de forma alguma, para a vida mental ou ativa dessa sociedade parasita que eles tinham o privilégio de sustentar com o seu sangue. Quando veio a abolição, e depois dela a igualdade de direitos políticos, a Virgínia e a Geórgia viram, de repente, todas as altas funções do Estado entregues a esses mesmos escravos, que eram, até então, socialmente falando, matéria inorgânica, e que, por isso, só podiam servir nesse primeiro ensaio de vida política para instrumentos de especuladores adventícios, como os *carpet baggers*. Esse período, entretanto, pode ser considerado como a continuação da guerra civil. A separação das duas raças, que fora o sistema adotado pela escravidão norte-americana — mantida por uma antipatia à cor preta, que foi sucessivamente buscar fundamentos na maldição de Cam e na teoria da evolução pitecoide, e por princípios severos de educação —, continua a ser o estado das relações entre os dois grandes elementos de população dos Estados do Sul.

No Brasil deu-se exatamente o contrário. A escravidão, ainda que fundada sobre a diferença das duas raças, nunca desenvolveu a prevenção da cor, e nisso foi infinitamente mais hábil. Os contatos entre aquelas, desde a colonização primitiva dos donatários até hoje, produziram uma população mestiça, como já vimos, e os escravos, ao receberem a sua carta de alforria, recebiam também a investidura de cidadão. Não há assim, entre nós, castas sociais perpétuas, não há mesmo divisão fixa de classes. O escravo, que, como tal, praticamente, *não existe* para a sociedade, porque o senhor pode não o ter matriculado e, se o matriculou, pode substituí-lo, e a matrícula mesmo nada significa, desde que não há inspeção do Estado nas fazendas, nem os senhores são obrigados a dar contas dos seus escravos às autoridades. Esse ente, assim equiparado, quanto à proteção social, a qualquer outra coisa de domínio particular, é, no dia seguinte à sua alforria, um cidadão como outro qualquer, com todos os direitos políticos e o mesmo grau de elegibilidade. Pode mesmo, ainda na penumbra do cativeiro, comprar escravos, talvez, quem sabe? — algum filho do seu antigo senhor. Isso prova a confusão de classes e indivíduos e a extensão ilimitada dos cruzamentos sociais entre escravos e livres, que fazem da maioria dos cidadãos brasileiros, se se pode assim dizer, mestiços políticos, nos quais se combatem duas naturezas opostas: a do senhor de nascimento e a do escravo domesticado.

A escravidão, entre nós, manteve-se aberta e estendeu os seus privilégios a todos indistintamente: brancos ou pretos, ingênuos ou libertos, escravos mesmo, estrangeiros ou nacionais, ricos ou pobres; e, dessa forma, adquiriu, ao mesmo tempo, uma força de absorção dobrada e uma elasticidade incomparavelmente maior do que houvera tido se fosse um monopólio de raça, como nos Estados do Sul. Esse sistema de igualdade absoluta abriu, por certo, um melhor futuro à raça negra do que era o seu horizonte na América do Norte. Macaulay disse na Câmara dos Comuns em 1845, ano do *bill* Aberdeen: "Eu não julgo improvável que a população preta do Brasil seja livre e feliz dentro de oitenta ou cem anos. Não vejo porém perspectiva razoável de igual mudança nos Estados Unidos". Essa intuição da felicidade relativa da raça nos dois países parece hoje ser tão certa quanto provou ser errada a suposição de que os Estados Unidos tardariam mais do que nós a emancipar os seus escravos. O que enganou, nesse caso, o grande orador inglês foi o preconceito da cor, que se lhe figurou ser uma força política e social para a escravidão, quando, pelo contrário, a força desta consiste em banir tal preconceito e em abrir a instituição a todas as classes. Mas, por isso mesmo, entre nós, o caos étnico foi o mais gigantesco possível, e a confusão reinante nas regiões em que se está elaborando, com todos esses elementos heterogêneos, a unidade nacional faz pensar na soberba desordem dos mundos incandescentes.

Atenas, Roma, a Virgínia, por exemplo, foram, tomando uma comparação química, simples misturas nas quais os diversos elementos guardavam as suas propriedades particulares; o Brasil, porém, é um composto, do qual a escravidão representa a afinidade causal. O problema que nós queremos resolver é o de fazer desse composto de senhor e escravo um cidadão. O dos Estados do Sul foi muito diverso, porque essas duas espécies não se misturaram. Entre nós a escravidão não exerceu toda a sua influência apenas abaixo da linha romana da *libertas*; exerceu-a, também, dentro e acima da esfera da *civitas*; nivelou, exceção feita dos escravos, que vivem sempre nos subterrâneos sociais, todas as classes; mas nivelou-as degradando-as. Daí a dificuldade, ao analisar-lhe a influência, de descobrir um ponto qualquer, ou na índole do povo, ou na face do país, ou mesmo nas alturas mais distantes das emanações das senzalas, sobre que, de alguma forma, aquela afinidade não atuasse, e que não deva ser incluída na síntese nacional da escravidão. Vejam-se as diversas classes sociais. Todas elas apresentam sintomas de desenvolvimento ou retardado ou impedido, ou, o que é ainda pior, de crescimento prematuro artificial. Estudem-se as diversas forças, ou que mantêm a hereditariedade nacional ou que lhe dirigem a evolução, e ver-se-á que as conhecidas se estão todas enfraquecendo, e que tanto a conservação como o progresso do país são problemas atualmente insolúveis, dos quais a escravidão, e só ela, é a incógnita. Isso tudo, tenho apenas espaço para apontar, não para demonstrar.

Uma classe importante, cujo desenvolvimento se acha impedido pela escravidão, é a dos lavradores que não são proprietários, e, em geral, dos moradores do campo ou do sertão. Já vimos a que se acha, infelizmente, reduzida essa classe, que forma a quase totalidade da nossa população. Sem independência de ordem alguma, vivendo ao azar do capricho alheio, as palavras da oração dominical: *O pão nosso de cada dia, nos dai hoje* têm para ela uma significação concreta e real. Não se trata de operários, que, expulsos de uma fábrica, achem lugar em outra; nem de famílias que possam emigrar; nem de jornaleiros que vão ao mercado de trabalho oferecer os seus serviços; trata-se de uma população sem meios, nem recurso algum, ensinada a considerar o trabalho como uma ocupação servil, sem ter onde vender os seus produtos, longe da região do salário — se existe esse *El Dorado*, em nosso país — e que por isso tem que resignar-se a viver e criar os filhos, nas condições de dependência e miséria em que se lhe consente vegetar.

Esta é a pintura que, com verdadeiro sentimento humano, fez de uma porção, e a mais feliz, dessa classe, um senhor de engenho, no Congresso Agrícola do Recife em 1878:

> O plantador não fabricante leva vida precária; seu trabalho não é remunerado, seus brios não são respeitados; seus interesses ficam à mercê dos caprichos do fabricante em cujas terras habita. Não há ao menos um contrato escrito, que obrigue as partes interessadas; tudo tem base na vontade absoluta do fabricante. Em troca de habitação, muitas vezes péssima, e de algum terreno que lhe é dado para plantações de mandioca, que devem ser limitadas, e feitas em terreno sempre o menos pro-

dutivo; em troca disso, parte o parceiro todo o açúcar de suas canas em quantidades iguais; sendo propriedade do fabricante todo o mel de tal açúcar, toda a cachaça delas resultante, todo o bagaço, que é excelente combustível para o fabrico do açúcar, todos os olhos das canas, suculento alimento para o seu gado. É uma partilha leonina, tanto mais injusta quanto todas as despesas da plantação, trato da lavoura, corte, arranjo das canas e seu transporte à fábrica, são feitas exclusivamente pelo plantador meeiro.

À parte os sentimentos dos que são equitativos e generosos, o pobre plantador de canas da classe a que me refiro nem habitação segura tem: de momento para outro pode ser caprichosamente despejado, sujeito a ver estranhos até à porta da cozinha de sua triste habitação, ou a precipitar a sua saída, levando à família o último infortúnio.[1]

Essa é ainda uma classe favorecida, a dos lavradores meeiros, abaixo da qual há outras que nada têm de seu, moradores que nada têm para vender ao proprietário, e que levam uma existência nômada e segregada de todas as obrigações sociais, como fora de toda a proteção do Estado.

Tomem-se outras classes, cujo desenvolvimento se acha retardado pela escravidão, as classes operárias e industriais, e, em geral, o comércio.

A escravidão não consente, em parte alguma, classes operárias propriamente ditas, nem é compatível com o regímen do salário e a dignidade pessoal do artífice. Este mesmo, para não ficar debaixo do estigma social que ela imprime nos seus trabalhadores, procura assinalar o intervalo que o separa do escravo, e imbui-se assim de um sentimento de superioridade, que é apenas baixeza de alma, em quem saiu da condição servil, ou esteve nela por seus pais. Além disso, não há classes operárias fortes, respeitadas e inteligentes, onde os que empregam trabalho estão habituados a mandar em escravos. Também, os operários não exercem entre nós a mínima influência política.[2]

Escravidão e indústria são termos que se excluíram sempre, como escravidão e colonização. O espírito da primeira, espalhando-se por um país, mata cada uma das faculdades humanas, de que provém a indústria: a iniciativa, a invenção, a energia individual; e cada um dos elementos de que ela precisa: a associação de capitais, a abundância de trabalho, a educação técnica dos operários, a confiança no futuro. No Brasil, a indústria agrícola é a única que tem florescido em mãos de nacionais. O comércio só tem prosperado nas de estrangeiros. Mesmo assim, veja-se qual é o estado da lavoura, como adiante o descrevo. Está, pois, singularmente retardado em nosso país o período industrial, no qual vamos apenas agora entrando.

O grande comércio nacional não dispõe de capitais comparáveis aos do comércio estrangeiro, tanto de exportação como de importação, ao passo que o comércio a retalho, em toda a sua porção florescente, com vida própria, por assim dizer consolidada, é praticamente monopólio de estrangeiros. Esse fato provocou, por diversas vezes em nossa história, manifestações populares, com a bandeira da nacionalização do comércio a retalho. Mas tal grito caracteriza o espírito de exclusivismo e ódio à concorrência, por mais legítima que seja, em que a escravidão educou o nosso povo, e, em mais de um lugar, foi acompanhado de sublevações do mesmo espírito atuando em outra direção, isto é, do fanatismo religioso. Não sabiam os que sustentavam aquele programa do fechamento dos portos do Brasil e da anulação de todo o progresso que temos feito desde 1808, que, se tirassem o comércio a retalho aos estrangeiros, não o passariam para os nacionais, mas simplesmente o reduziriam a uma carestia de gêneros permanente — porque é a escravidão, e não a nacionalidade, que impede o comércio a retalho de ser em grande parte brasileiro.

Em relação ao comércio, a escravidão procede desta forma: fecha-lhe, por desconfiança e rotina, o interior, isto é, tudo o que não é a capital da província; exceto em Santos e Campinas, em São Paulo; Petrópolis e Campos, no Rio de Janeiro; Pelotas, no Rio Grande do Sul; e alguma outra cidade mais, não há casas de negócio senão nas capitais, onde se encontre mais do que um pequeno fornecimento de artigos necessários à vida, estes mesmos ou grosseiros ou falsificados. Assim como nada se vê que revele o progresso intelectual dos habitantes — nem livrarias, nem jornais —, não se encontra o comércio, senão na antiga forma rudimentar, indivisa ainda, da venda-bazar. Por isso, o que não vai diretamente da Corte, como encomenda, só chega ao consumidor pelo mascate, cuja história é a da civilização do nosso interior todo, e que, de fato, é o *pioneer* do comércio e representa os limites em que a escravidão é compatível com a permuta local. O comércio, entretanto, é o manancial da escravidão, e o seu banqueiro. Na geração passada, em toda parte, ele a alimentou de africanos *boçais* ou *ladinos*; muitas das propriedades agrícolas caíram em mãos de fornecedores de escravos; as fortunas realizadas pelo tráfico (para o qual a moeda falsa teve por vezes grande afinidade) foram, na parte não exportada, nem convertida em pedra e cal, empregadas em auxiliar a lavoura pela usura. Na atual geração, o vínculo entre o comércio e a escravidão não é assim desonroso para aquele; mas a dependência mútua continua a ser a mesma. Os principais fregueses do comércio são proprietários de escravos, exatamente como os *leaders* da classe; o café é sempre rei nas praças do Rio e de Santos, e o comércio, faltando a indústria e o trabalho livre, não pode servir senão para agente da escravidão, comprando-lhe tudo o que ela oferece e vendendo-lhe tudo de que ela precisa. Por isso, também, no Brasil ele não se desenvolve, não abre horizontes ao país; mas é uma força inativa, sem estímulos, e cônscia de que é, apenas, um prolongamento da escravidão, ou antes o mecanismo pelo qual a carne humana é convertida em ouro e circula, dentro e fora do país, sob a forma de letras de câmbio. Ele sabe que, se a escravidão o receia, como receia todos os condutores do progresso, seja este a loja do negociante, a estação da estrada de ferro, ou a escola primária, também precisa dele, como por certo não precisa, nem quer saber, desta última, e trata de viver com ele nos melhores termos possíveis. Mas, com a escravidão, o comércio será sempre o servo de uma classe, sem a independência de um agente nacional; ele nunca há de florescer, num regímen que não lhe consente entrar em relações diretas com os consumidores, e não eleva a população do interior a essa categoria.

Das classes que esse sistema fez crescer artificialmente, a mais numerosa é a dos empregados públicos. A estreita relação entre a escravidão e a epidemia do funcionalismo não pode ser mais contestada que a relação entre ela e a superstição do Estado-providência. Assim como, nesse regímen, tudo se espera do Estado, que, sendo a única associação ativa, aspira e absorve pelo imposto e pelo empréstimo todo o capital disponível e distribui-o, entre os seus clientes, pelo emprego público, sugando as economias do pobre pelo curso forçado, e tornando precária a fortuna do rico; assim também, como consequência, o funcionalismo é a profissão nobre e a vocação de todos. Tomem-se, ao acaso, vinte ou trinta brasileiros em qualquer lugar onde se reúna a nossa sociedade mais culta: todos eles ou foram ou são, ou hão de ser, empregados públicos; se não eles, seus filhos.

O funcionalismo é, como já vimos, o asilo dos descendentes das antigas famílias ricas e fidalgas, que desbarataram as fortunas realizadas pela escravidão, fortunas a respeito das quais pode dizer-se, em regra, como se diz das fortunas feitas no jogo, que não medram, nem dão felicidade. É além disso o viveiro político, porque abriga todos os pobres inteligentes, todos os que têm ambição e capacidade, mas não têm meios, e que são a grande maioria dos nossos homens de merecimento. Faça-se uma lista dos nossos estadistas pobres, de primeira e segunda ordem, que resolveram o seu problema individual pelo casamento rico, isto é, na maior parte dos casos, tornando-se humildes clientes da escravidão; e outra dos que o resolveram pela acumulação de cargos públicos, e ter-se-ão, nessas duas listas, os nomes de quase todos eles. Isso significa que o país está fechado em todas as direções; que muitas avenidas que poderiam oferecer um meio de vida a homens de talento, mas sem qualidades mercantis, como a literatura, a ciência, a imprensa, o magistério, não passam ainda de vielas, e outras, em que homens práticos, de tendências industriais, poderiam prosperar, são por falta de crédito, ou pela estreiteza do comércio, ou pela estrutura rudimentar da nossa vida econômica, outras tantas portas muradas.

Nessas condições oferecem-se ao brasileiro que começa diversos caminhos, os quais conduzem todos ao emprego público. As profissões chamadas independentes, mas que dependem em grande escala do favor da escravidão, como a advocacia, a medicina, a engenharia, têm pontos de contato importantes com o funcionalismo, como sejam os cargos políticos, as academias, as obras públicas. Além desses, que recolhem por assim dizer as migalhas do orçamento, há outros, negociantes, capitalistas, indivíduos inclassificáveis, que querem contratos, subvenções do Estado, garantias de juro, empreitadas de obras, fornecimentos públicos.

A classe dos que assim vivem com os olhos voltados para a munificência do governo é extremamente numerosa, e diretamente filha da escravidão, porque ela não consente outra carreira aos brasileiros, havendo abarcado a terra, degradado o trabalho, corrompido o sentimento de altivez pessoal em desprezo por quem trabalha em posição inferior a outro, ou não faz trabalhar. Como a necessidade é irresistível, essa fome de emprego público determina uma progressão constante do nosso orçamento, que a nação, não podendo pagar com a sua renda, paga com o próprio capital necessário à sua subsistência, e que, mesmo assim, só é afinal equilibrado por novas dívidas.

Além de ser artificial e prematuro, o atual desenvolvimento da classe dos remunerados pelo Tesouro, sendo, como é a cifra da despesa nacional, superior às nossas forças, a escravidão, fechando todas as outras avenidas, como vimos, da indústria, do comércio, da ciência, das letras, criou em torno desse exército ativo uma reserva de pretendentes, cujo número realmente não se pode contar, e que, com exceção dos que estão consumindo, ociosamente, as fortunas que herdaram e dos que estão explorando a escravidão com a alma do proprietário de homens, pode calcular-se, quase exatamente, pelo recenseamento dos que sabem ler e escrever. Num tempo em que o servilismo e a adulação são a escada pela qual se sobe, e a independência e o caráter a escada pela qual se desce; em que a inveja é uma paixão dominante; em que não há outras regras de promoção, nem provas de suficiência, senão o empenho e o patronato; quando ninguém, que não se faça lembrar, é chamado para coisa alguma, e a injustiça é ressentida apenas pelo próprio ofendido: os empregados públicos são os servos da gleba do governo, vivem com suas famílias em terras do Estado, sujeitos a uma evicção sem aviso, que equivale à fome, numa dependência da qual só para os fortes não resulta a quebra do caráter. Em cada um dos sintomas característicos da séria hipertrofia do funcionalismo, como ela se apresenta no Brasil, quem tenha estudado a escravidão reconhece logo um dos seus efeitos. Podemos nós, porém, ter a consolação de que, abatendo as diversas profissões, reduzindo a nação ao proletariado, a escravidão todavia conseguiu fazer dos senhores, da *lavoura*, uma classe superior, pelo menos rica, e, mais do que isso, educada, patriótica, digna de representar o país intelectual e moralmente?

Quanto à riqueza, já vimos que a escravidão arruinou uma geração de agricultores, que ela mesma substituiu pelos que lhes forneciam os escravos. De 1853 a 1857, quando se deviam estar liquidando as obrigações do tráfico, a dívida hipotecária da Corte e província do Rio de Janeiro subia a 67 mil contos. A atual geração não tem sido mais feliz. Grande parte dos seus lucros foi convertida em carne humana, a alto preço, e, se hoje uma epidemia devastasse os cafeeiros, o capital que a lavoura toda do Império poderia apurar para novas culturas havia de espantar os que a reputam florescente. Além disso, há quinze anos que não se fala senão em *auxílios à lavoura*. Tem a data de 1868 um opúsculo do sr. Quintino Bocaiuva, *A crise da lavoura*, em que esse notável jornalista escrevia: "A lavoura não se pode restaurar senão pelo efeito simultâneo de dois socorros que não podem ser mais demorados — o da instituição do crédito agrícola e o da aquisição de braços produtores". O primeiro socorro era "uma vasta emissão" sobre a propriedade predial do Império, que assim seria convertida em moeda corrente; o segundo era a colonização chinesa.

Há quinze anos que se nos descreve de todos os lados a lavoura como estando em *crise*, necessitada de *auxílios*, agonizante, em bancarrota próxima. O Estado é, todos os dias, denunciado por não fazer empréstimos e aumentar os impostos para habilitar os fazendeiros a comprar ainda mais escravos. Em 1875 uma lei, a de 6 de novembro, autorizou o governo a dar a garantia nacional ao banco estrangeiro — nenhum outro poderia emitir na Europa — que emprestasse dinheiro à lavoura mais barato do que o mercado monetário interno. Para terem fábricas centrais de açúcar, e melhorarem o seu produto, os senhores de engenho precisaram de que a nação as levantasse sob a sua responsabilidade. O mesmo tem-se pedido para o café. Assim como dinheiro a juro barato e engenhos centrais, a chamada *grande propriedade* exige fretes de estrada de ferro à sua conveniência, exposições oficiais de café, dispensa de todo e qualquer imposto direto, imigração asiática e uma lei de locação de serviços que faça do colono, alemão, ou inglês, ou italiano, um escravo branco. Mesmo a população nacional tem que ser sujeita a um novo recrutamento agrícola,[3] para satisfazer diversos *clubs*, e, mais que tudo, o câmbio, por uma falência econômica, tem que ser conservado tão baixo quanto possível, para o café, que é pago em ouro, valer mais papel.

Também, a horrível usura, de que é vítima a lavoura em diversas províncias, sobretudo no Norte, é a melhor prova do mau sistema que a escravidão fundou, e do qual dois característicos principais — a extravagância e o *provisório* — são incompatíveis com o crédito agrícola que ela reclama. "A taxa dos juros dos empréstimos à lavoura pelos seus correspondentes", é o extrato oficial das informações prestadas pelas presidências de província em 1874, "regula em algumas províncias de 7% a 17%; em outras sobe de 18% a 24%", e "há exemplo de se cobrar a de 48% e 72% anualmente!" Como não se pretende que a lavoura renda mais de 10%, e toda ela precisa de capitais a juro, essa taxa quer simplesmente dizer — a bancarrota. Não é, por certo, essa a classe que se pode descrever em estado próspero e florescente, e que se pode chamar rica.

Quanto às suas funções sociais, uma aristocracia territorial pode servir ao país de diversos modos: melhorando e desenvolvendo o bem-estar da população que a cerca e o aspecto do país em que estão encravados os seus estabelecimentos; tomando a direção do progresso nacional; cultivando, ou protegendo, as letras e as artes; servindo no Exército e na Armada, ou distinguindo-se nas diversas carreiras; encarnando o que há de bom no caráter nacional, ou as qualidades superiores do país, o que mereça ser conservado como tradição. Já vimos o que a nossa lavoura conseguiu em cada um desses sentidos, quando notamos o que a escravidão administrada por ela há feito do território e do povo, dos senhores e dos escravos. Desde que a classe única, em proveito da qual ela foi criada e existe, não é a aristocracia do dinheiro, nem a do nascimento, nem a da inteligência, nem a do patriotismo, nem a da raça, que papel permanente desempenha no Estado uma aristocracia heterogênea e que nem mesmo mantém a sua identidade por duas gerações?

Se, das diversas classes, passarmos às forças sociais, vemos que a escravidão ou as apropriou aos seus interesses, quando transigentes, ou fez em torno delas o vácuo, quando inimigas, ou lhes impediu a formação, quando incompatíveis.

Entre as que se identificaram, desde o princípio, com ela, tornando-se um dos instrumentos das suas pretensões, está, por exemplo, a Igreja. No regímen da escravidão doméstica o cristianismo cruzou-se com o fetichismo, como se cruzaram as duas raças. Pela influência da ama de leite e dos escravos de casa sobre a educação da criança, os terrores materialistas do fetichista convertido, isto é, que mudou de inferno, exercem, sobre a fortificação do cérebro e a coragem da alma daquelas, a maior depressão. O que resulta como fé, e sistema religioso, dessa combinação das tradições africanas como o ideal antissocial do missionário fanático, é um composto de contradições, que só a inconsciência pode conciliar. Como a religião, a Igreja.

Nem os bispos, nem os vigários, nem os confessores, estranham o mercado de entes humanos; as bulas que o condenam são hoje obsoletas. Dois dos nossos prelados foram sentenciados a prisão com trabalho, pela guerra que moveram à maçonaria; nenhum deles, porém, aceitou ainda a responsabilidade de descontentar a escravidão. Compreende-se que os exemplos dos profetas, penetrando no palácio dos reis de Judá para exprobrar-lhes os seus crimes, e os sofrimentos dos antigos mártires pela verdade moral, pareçam aos que representam a religião entre nós originalidades tão absurdas como a de são Simeão Estelita vivendo no tope de uma coluna para estar mais perto de Deus. Mas, se o regímen da côngrua e dos emolumentos, mais do que isso, das honras oficiais e do bem-estar, não consente esses rasgos de heroísmo religioso, hoje próprios, tão somente, de um faquir do Himalaia, apesar desse resfriamento glacial de uma parte da alma de outrora incandescente, a escravidão e o Evangelho deviam mesmo hoje ter vergonha de se encontrarem na casa de Jesus e de terem o mesmo sacerdócio.

Nem quanto aos casamentos dos escravos, nem por sua educação moral, tem a Igreja feito coisa alguma. Os monges de São Bento forraram os seus escravos e isso produziu entre os panegiristas dos conventos uma explosão de entusiasmo. Quando mosteiros possuem rebanhos humanos, quem conhece a história das fundações monásticas, os votos dos noviços, o desinteresse das suas aspirações, a sua abnegação pelo mundo, só pode admirar-se de que esperem reconhecimento e gratidão por terem deixado de tratar homens como animais, e de explorar mulheres como máquinas de produção.

"Se em relação às pessoas livres mesmo", oficiou em 1864 ao governo o cura da freguesia do Sacramento da Corte, "se observa o abandono, a indiferença atinge ao escândalo em relação aos escravos. Poucos senhores cuidam em proporcionar aos seus escravos em vida os socorros espirituais; raros são aqueles que cumprem com o caridoso dever de lhes dar os derradeiros sufrágios da Igreja."[4] Grande número de padres possui escravos, sem que o celibato clerical o proíba. Esse contato, ou antes contágio, da escravidão deu à religião, entre nós, o caráter materialista que ela tem, destruiu-lhe a face ideal, e tirou-lhe toda possibilidade de desempenhar na vida social do país o papel de uma força consciente.

Tome-se outro elemento de conservação que também foi apropriado dessa forma, o patriotismo. O trabalho todo dos escravagistas consistiu sempre em identificar o Brasil com a escravidão. Quem a ataca é logo suspeito de conivência com o estrangeiro, de inimigo das instituições do seu próprio país. Antônio Carlos foi acusado nesse interesse de não ser brasileiro. Atacar a monarquia, sendo o país monárquico, a religião sendo o país católico, é lícito a todos; atacar, porém, a escravidão, é traição nacional e felonia. Nos Estados Unidos, "a instituição particular" por tal forma criou em sua defesa essa confusão, entre si e o país, que pôde levantar uma bandeira sua contra a de Washington, e produzir, numa loucura transitória, um patriotismo separatista desde que se sentiu ameaçada de cair deixando a pátria de pé. Mas, como com todos os elementos morais que avassalou, a escravidão ao conquistar o patriotismo brasileiro fê-lo degenerar. A Guerra do Paraguai é a melhor prova do que ela fez do patriotismo das classes que a praticavam, e do patriotismo dos senhores. Muito poucos destes deixaram os seus escravos para atender ao seu país; muitos alforriaram alguns "negros" para serem eles feitos titulares do Império. Foi nas camadas mais necessitadas da população, descendentes de escravos na maior parte, nessas mesmas que a escravidão condena à dependência e à miséria, entre os proletários analfabetos cuja emancipação política ela adiou indefinidamente, que se sentiu bater o coração de uma nova pátria. Foram elas que produziram os soldados dos batalhões de voluntários. Com a escravidão, disse José Bonifácio em 1825, "nunca o Brasil formará, como imperiosamente o deve, um Exército brioso e uma Marinha florescente", e isso porque, com a escravidão, não há patriotismo nacional, mas somente patriotismo de casta, ou de raça; isto é, um sentimento que serve para unir todos os membros da sociedade, e explorado para o fim de dividi-los. Para que o patriotismo se purifique, é preciso que a imensa massa da população livre, mantida em estado de subserviência pela escravidão, atravesse, pelo sentimento da independência pessoal, pela convicção da sua força e do seu poder, o longo estádio que separa o simples nacional — que hipoteca tacitamente, por amor, a sua vida à defesa voluntária da integridade material e da soberania externa da pátria — do cidadão que quer ser uma unidade ativa e pensante na comunhão a que pertence.

Entre as forças em torno de cujo centro de ação o escravagismo fez o vácuo, por lhe serem contrárias, forças de progresso e transformação, está notavelmente a imprensa, não só o jornal, mas também o livro, tudo que diz respeito à educação. Por honra do nosso jornalismo, a imprensa tem sido a grande arma de combate contra a escravidão e o instrumento da propagação das ideias novas; os esforços tentados para a criação de um *órgão negro* naufragaram sempre. Ou se insinue timidamente, ou se afirme com energia, o pensamento dominante no jornalismo todo, do Norte ao Sul, é a emancipação. Mas, para fazer o vácuo em torno do jornal e do livro, e de tudo o que pudesse amadurecer antes do tempo a consciência abolicionista, a escravidão por instinto procedeu repelindo a escola, a instrução pública e mantendo o país na ignorância e escuridão, que é o meio em que ela pode prosperar. A senzala e a escola são polos que se repelem.

O que é a educação nacional num regímen interessado na ignorância de todos, o seguinte trecho do notável parecer do sr. Rui Barbosa, relator da Comissão de Instrução Pública da Câmara dos Deputados, o mostra bem:

A verdade — e a vossa Comissão quer ser muito explícita a seu respeito, desagrade a quem desagradar — é que o ensino público está à orla do limite possível a uma nação que se presume livre e civilizada; é que há decadência em vez de progresso; é que somos um povo de analfabetos, e que a massa deles, se decresce, é numa proporção desesperadamente lenta; é que a instrução acadêmica está infinitamente longe do nível científico dessa idade; é que a instrução secundária oferece ao ensino superior uma mocidade cada vez menos preparada para o receber; é que a instrução popular, na Corte como nas províncias, não passa de um *desideratum*.

Aí está o efeito, sem aparecer a causa, como em todos os inúmeros casos em que os efeitos da escravidão são apontados entre nós. Um lavrador fluminense, por exemplo, o sr. Pais Leme, foi em 1876 aos Estados Unidos comissionado pelo nosso governo. Escreveu relatórios sobre o que viu e observou na América do Norte, pronunciou discursos na Assembleia Provincial do Rio de Janeiro, que são ainda o resultado daquela viagem, e nunca lhe ocorreu, nos diferentes paralelos que fez entre o estado do Brasil e o da grande República, atribuir à escravidão uma parte sequer do nosso atraso. O mesmo dá-se com toda a literatura política, liberal ou republicana, em que um fator da ordem da escravidão figura como um órgão rudimentar e inerte.

Entre as forças cuja aparição ela impediu está a opinião pública, a consciência de um destino nacional. Não há, com a escravidão, essa força poderosa chamada opinião pública, ao mesmo tempo alavanca e ponto de apoio das individualidades que representam o que há de mais adiantado no país. A escravidão, como é incompatível com a imigração espontânea, também não consente o influxo das ideias novas. Incapaz de invenção, ela é, igualmente, refratária ao progresso. Não é dessa opinião pública que sustentou os negreiros contra os Andradas, isto é, da soma dos interesses coligados que se trata, porque essa é uma força bruta e inconsciente como a do número por si só. Duzentos piratas valem tanto quanto um pirata, e não ficarão valendo mais se os cercarem da população toda que eles enriquecem e da que eles devastam. A opinião pública, de que falo, é propriamente a consciência nacional, esclarecida, moralizada, honesta e patriótica; esta é impossível com a escravidão, e desde que apareça, esta trata de destruí-la.

É por não haver entre nós essa força de transformação social que a política é a triste e degradante luta por ordenados, que nós presenciamos; nenhum homem vale nada, porque nenhum é sustentado pelo país. O presidente do Conselho vive à mercê da Coroa, de quem deriva a sua força, e só tem aparência de poder quando se o julga um lugar-tenente do imperador e se acredita que ele tem no bolso o decreto de dissolução, isto é, o direito de eleger uma Câmara de apaniguados seus. Os ministros vivem logo abaixo, à mercê do presidente do Conselho, e os deputados no terceiro plano, à mercê dos ministros. O sistema representativo é, assim, um enxerto de formas parlamentares num governo patriarcal, e senadores e deputados só tomam ao sério o papel que lhes cabe nessa paródia da democracia pelas vantagens que auferem. Suprima-se o subsídio e forcem-nos a não se servirem da sua posição para fins pessoais e de família, e nenhum homem que tenha o que fazer se prestará a perder o seu tempo em tais *skiamaxiai*, em combates com sombras, para tomar uma comparação de Cícero.

Ministros, sem apoio na opinião, que ao serem despedidos caem no vácuo; presidentes do Conselho que vivem, noite e dia, a perscrutar o pensamento esotérico do imperador; uma Câmara cônscia da sua nulidade e que só pede tolerância; um Senado que se reduz a ser um pritaneu; partidos que são apenas sociedades cooperativas de colocação ou de seguro contra a miséria. Todas essas aparências de um governo livre são preservadas por orgulho nacional, como foi a dignidade consular no Império Romano; mas, no fundo, o que temos é um governo de uma simplicidade primitiva, em que as responsabilidades se dividem ao infinito, e o poder está concentrado nas mãos de um só. Este é o chefe do Estado. Quando alguém parece ter força própria, autoridade efetiva, prestígio individual, é porque lhe acontece, nesse momento, estar exposto à luz do trono: desde que der um passo, ou à direita ou à esquerda, e sair daquela réstia, ninguém mais o divisará no escuro.

Foi a isso que a escravidão, como causa infalível de corrupção social, e pelo seu terrível contágio, reduziu a nossa política. O povo como que sente um prazer cruel em escolher o pior, isto é, em rebaixar-se a si mesmo, por ter consciência de que é uma multidão heterogênea, sem disciplina a que se sujeite, sem fim que se proponha. A municipalidade da Corte, do centro da vida atual da nação toda, foi sempre eleita por esse princípio. Os *capangas* no interior, e nas cidades os *capoeiras*, que também têm a sua flor, fizeram até ontem das nossas eleições o jubileu do crime. A faca de ponta e a navalha, exceto quando a baioneta usurpava essas funções, tinham sempre a maioria nas urnas. Com a eleição direta, tudo isso desapareceu na perturbação do primeiro momento, porque houve um ministro de vontade, que disse aspirar à honra de ser derrotado nas eleições. O sr. Saraiva, porém, já foi canonizado pela sua abnegação; já tivemos bastantes ministros-mártires para formar o hagiológio da reforma, e ficou provado que nem mesmo é preciso a candidatura oficial para eleger Câmaras governistas. A máquina eleitoral é automática, e, por mais que mudem a lei, o resultado há de ser o mesmo. O *capoeira* conhece o seu valor, sabe que não passam tão depressa como se acredita os dias de Clódio, e em breve a eleição direta será o que foi a indireta: a mesma orgia desenfreada a que nenhum homem decente devera, sequer, assistir.

Autônomo, só há um poder, entre nós, o poder irresponsável; só este tem certeza do dia seguinte; só este representa a permanência da tradição nacional. Os ministros não são mais que as encarnações secundárias, e às vezes grotescas, dessa entidade superior. Olhando em torno de si, o imperador não encontra uma só individualidade que limite a sua, uma vontade, individual ou coletiva, a que ele se deva sujeitar: nesse sentido ele é absoluto como o czar e o sultão, ainda que se veja no centro de um governo moderno e provido de todos os órgãos superiores, como o Parlamento, que não têm a Rússia nem a Turquia, a supremacia parlamentar, que não tem a Alemanha, a liberdade absoluta da imprensa, que muito poucos países conhecem. Quer isso dizer, em vez de soberano absoluto, o imperador deve antes ser chamado o primeiro-ministro permanente do Brasil. Ele não comparece perante as Câmaras, deixa grande latitude, sobretudo em matéria de finanças e legislação, ao gabinete; mas nem um só dia perde de vista a marcha da administração nem deixa de ser o árbitro dos seus ministros.

Esse chamado *governo pessoal* é explicado pela teoria absurda de que o imperador corrompeu um povo inteiro; desmoralizou por meio de tentações supremas, à moda de Satanás, a honestidade dos nossos políticos; desvirtuou, intencionalmente, partidos que nunca tiveram ideias e princípios, senão como capital de exploração. A verdade é que esse governo é o resultado, imediato, da prática da escravidão pelo país. Um povo que se habitua a ela não dá valor à liberdade nem aprende a governar-se a si mesmo. Daí, a abdicação geral das funções cívicas, o indiferentismo político, o desamor pelo exercício obscuro e anônimo da responsabilidade pessoal, sem a qual nenhum povo é livre, porque um povo livre é somente um agregado de unidades livres: causas que deram em resultado a supremacia do elemento permanente e perpétuo, isto é, a monarquia. O imperador não tem culpa, exceto, talvez, por não ter reagido contra essa abdicação nacional, de ser tão poderoso como é, tão poderoso que nenhuma delegação da sua autoridade, atualmente, conseguiria criar no país uma força maior que a Coroa.

Mas, por isso mesmo, dom Pedro II será julgado pela História como o principal responsável pelo seu longo reinado; tendo sido o seu próprio valido durante 43 anos, ele nunca admitiu presidentes do Conselho superiores à sua influência e, de fato, nunca deixou o leme (com relação a certos homens que ocuparam aquela posição, foi talvez melhor para eles mesmos e para o país o serem objetos desse *liberum veto*). Não é assim, como soberano constitucional, que o futuro há de considerar o imperador, mas como estadista; ele é um Luís Filipe, e não uma rainha Vitória — e ao estadista hão de ser tomadas estreitas contas da existência da escravidão, ilegal e criminosa, depois de um reinado de quase meio século. O Brasil despendeu mais de 600 mil contos em uma guerra politicamente desastrosa e só tem despendido, até hoje, 9 mil contos em emancipar os seus escravos: tem um orçamento seis vezes apenas menor do que o da Inglaterra, e desse orçamento menos de 1% é empregado em promover a emancipação.

Qualquer, porém, que seja, quanto à escravidão, a responsabilidade pessoal do imperador, não há dúvida de que a soma de poder que foi acrescendo à sua prerrogativa foi uma aluvião devida àquela causa perene. No meio da dispersão das energias individuais e das rivalidades dos que podiam servir à pátria, levanta-se, dominando as tendas dos agiotas políticos e os antros dos gladiadores eleitorais, que cercam o nosso *Forum*, a estátua do imperador, símbolo do único poder nacional independente e forte.

Mas, em toda essa dissolução social, na qual impera o mais ávido materialismo, e os homens de bem e patriotas estão descrentes de tudo e de todos, quem não vê a forma colossal da raça maldita, sacudindo os ferros dos seus pulsos, espalhando sobre o país as gotas do seu sangue? Essa é a vingança da raça negra. Não importa que tantos dos seus filhos espúrios tenham exercido sobre irmãos o mesmo jugo, e se tenham associado como cúmplices aos destinos da instituição homicida, a escravidão na América é sempre o crime da raça branca, elemento predominante da civilização nacional, e esse miserável estado, a que se vê reduzida a sociedade brasileira, não é senão o cortejo da Nêmesis africana que visita, por fim, o túmulo de tantas gerações.

Necessidade da abolição. Perigo da demora

Se os seus [do Brasil] dotes morais e intelectuais crescerem de harmonia com a sua admirável beleza e riqueza natural, o mundo não terá visto uma terra mais bela. Atualmente há diversos obstáculos a esse progresso; obstáculos que atuam como uma doença moral sobre o seu povo. A escravidão ainda existe no meio dele.

AGASSIZ

Mas, dir-se-á, se a escravidão é como acabamos de ver uma influência que afeta todas as classes; o molde em que se está fundindo, há séculos, a população toda: em primeiro lugar, que força existe fora dela que possa destruí-la tão depressa como quereis sem, ao mesmo tempo, dissolver a sociedade que é, segundo vimos, um composto de elementos heterogêneos do qual ela é a afinidade química? Em segundo lugar, tratando-se de um interesse de tamanha importância, de que dependem tão avultado número de pessoas e a produção nacional — a qual sustenta a fábrica e o estabelecimento do Estado, por mais artificiais que proveis serem as suas proporções atuais — e quando não contestais, nem podeis contestar, que a escravidão esteja condenada a desaparecer num período que pelo progresso moral contínuo do país nunca poderá exceder de vinte anos; por que não esperais que o fim de uma instituição, que já durou em vosso país mais de trezentos anos, se consuma naturalmente, sem sacrifício da fortuna pública nem das fortunas privadas, sem antagonismo de raças ou classes, sem uma só das ruínas que em outros países acompanharam a emancipação forçada dos escravos?

[...]. Aí mostrarei que, apesar de toda a influência retardativa da escravidão, há dentro do país forças morais capazes de suprimi-la como posse de homens, assim como não há, por enquanto — e a primeira necessidade do país é criá-las —, forças capazes de eliminá-la como principal elemento da nossa constituição. Neste capítulo, respondo tão somente à objeção, politicamente falando formidável, de impaciência, de cegueira para os interesses da classe dos proprietários de escravos, tão brasileiros pelo menos como estes, para as dificuldades econômicas de um problema — a saber, se a escravidão deve continuar indefinidamente — que, no ponto de vista humanitário ou patriótico, o Brasil todo já resolveu pela mais solene e convencida afirmativa.

Essas impugnações têm tanto mais peso, para mim, quanto — e por todo este livro se terá visto — eu não acredito que a escravidão deixe de atuar, como até hoje, sobre o nosso país quando os escravos forem todos emancipados. A lista de subscrição, que resulta na soma necessária para a alforria de um escravo, dá um *cidadão* mais ao rol dos brasileiros; mas é preciso muito mais do que as esmolas dos compassivos, ou a generosidade do senhor, para fazer desse novo cidadão uma unidade, digna de concorrer, ainda mesmo infinitesimalmente, para a formação de uma nacionalidade americana. Da mesma forma com o senhor. Ele pode alforriar os seus escravos, com sacrifício dos seus interesses materiais, ainda que sempre em benefício da educação dos seus filhos, quebrando assim o último vínculo aparente, ou de que tenha consciência, das relações em que se achava para com a escravidão; mas, somente por isso, o espírito desta não deixará de incapacitá-lo para cidadão de um país livre, e para exercer as virtudes que tornam as nações mais poderosas pela liberdade individual do que pelo despotismo.

Em um e outro caso, é preciso mais do que a cessação do sofrimento, ou da inflição do cativeiro, para converter o escravo e o senhor em homens animados do espírito de tolerância, de adesão aos princípios de justiça, quando mesmo sejam contra nós, de progresso e de subordinação individual aos interesses da pátria, sem os quais nenhuma sociedade nacional existe senão no grau de molusco, isto é, sem vértebras nem individualização.

Os que olham para os três séculos e meio de escravidão que temos no passado e medem o largo período necessário para apagar-lhe os últimos vestígios não consideram, pelo menos à primeira vista, de comprimento intolerável o espaço de vinte ou trinta anos que ainda lhe reste de usufruto. Abstraindo da sorte individual dos escravos e tendo em vista tão somente o interesse geral da comunhão — não se deve, com efeito, exigir que atendamos ao interesse particular dos proprietários, que são uma classe social muito menos numerosa do que os escravos, mais do que ao interesse dos escravos somado com o interesse da nação toda —, não será o prazo de vinte anos curto bastante para que não procuremos ainda abreviá-lo mais, comprometendo o que, de outra forma, se salvaria?

"Vós dizeis que sois políticos" — acrescentarei completando o argumento sério e refletido de homens tão inimigos como eu da escravidão, mas que se recusam a desmoroná-la de uma só vez, supondo que esse, a não ser o papel de um Erostrato, seria o de um Sansão inconsciente —,

> dizeis que não encarais a escravidão principalmente do ponto de vista do escravo, ainda que tenhais feito causa

comum com ele para melhor moverdes a generosidade do país; mas sim do ponto de vista nacional, considerando que a pátria deve proteção igual a todos os seus filhos e não pode enjeitar nenhum. Pois bem, como homens políticos, que entregais a vossa defesa ao futuro, e estais prontos a provar que não quereis destruir ou empecer o progresso do país, nem desorganizar o trabalho, ainda mesmo por sentimentos de justiça e humanidade, não vos parece que cumpriríeis melhor o vosso dever para com os escravos, para com os senhores — os quais têm pelo menos direito à vossa indulgência pelas relações que o próprio abolicionismo, de uma forma ou outra, pela hereditariedade nacional comum, tem com a escravidão — e finalmente para com a Nação toda, se em vez de propordes medidas legislativas que irritam os senhores e que não serão adotadas, estes não querendo; em vez de quererdes proteger os escravos pela justiça pública e arrancá-los do poder dos seus donos; começásseis por verificar até onde e de que forma estes, pelo menos na sua porção sensata e, politicamente falando, pensante, estão dispostos a concorrer para a obra que hoje é confessadamente nacional — da emancipação? Não seríeis mais políticos, oportunistas e práticos, e, portanto, muito mais úteis aos próprios escravos, se em vez de vos inutilizardes como propagandistas e agitadores, correndo o risco de despertar, o que não quereis por certo, entre escravos e senhores, entre senhores e abolicionistas, sentimentos contrários à harmonia das diversas classes — que mesmo na escravidão é um dos títulos de honra do nosso país — vos associásseis, como brasileiros, à obra pacífica da liquidação desse regímen?

Cada uma dessas observações, e muitas outras semelhantes, eu as discuti seriamente comigo mesmo, antes de queimar os meus navios, e cheguei, de boa-fé e contra mim próprio, à convicção de que deixar à escravidão o prazo de vida que ela tem pela lei de 28 de setembro seria abandonar o Brasil todo à contingência das mais terríveis catástrofes; e por outro lado, de que nada se havia de conseguir para limitar de modo sensível aquele prazo senão pela agitação abolicionista, isto é, procurando-se concentrar a atenção do país no que tem de horrível, injusto e fatal ao seu desenvolvimento, uma instituição com a qual ele se familiarizou e confundiu, a ponto de não poder mais vê-la objetivamente.

Há três anos que o país está sendo agitado, como nunca havia sido antes, em nome da abolição, e os resultados dessa propaganda ativa e patriótica têm sido tais que hoje ninguém mais dá à escravatura a duração que ela prometia ter quando, em 1878, o sr. Sinimbu reuniu o Congresso Agrícola, essa arca de Noé em que devia salvar-se a "grande propriedade".

Pela lei de 28 de setembro de 1871, a escravidão tem por limite a vida do escravo nascido na véspera da lei. Mas essas águas mesmas não estão ainda estagnadas, porque a fonte do nascimento não foi cortada, e todos os anos as mulheres escravas dão milhares de *escravos por 21 anos* aos seus senhores. Por uma ficção de direito, eles nascem *livres*, mas, de fato, valem por lei *aos oito anos de idade* 600$, cada um. A escrava nascida a 27 de setembro de 1871 pode ser mãe em 1911 de um desses *ingênuos*, que assim ficaria em cativeiro provisório até 1932. Essa é a lei, e o período de escravidão que ela ainda permite.

O ilustre homem de Estado que a fez votar, se hoje fosse vivo, seria o primeiro a reconhecer que esse horizonte de meio século aberto ainda à propriedade escrava é um absurdo, e nunca foi o pensamento íntimo do legislador. O visconde do Rio Branco, antes de morrer, havia já recolhido como sua recompensa a melhor parte do reconhecimento dos escravos: a gratidão das mães. Esse é um hino à sua memória que a posteridade nacional há de ouvir, desprendendo-se como uma nota suave e límpida do delírio de lágrimas e soluços do vasto coro trágico. Mas, por isso mesmo que o visconde do Rio Branco foi o autor daquela lei, ele seria o primeiro a reconhecer que, pela deslocação de forças sociais produzida há treze anos e pela velocidade ultimamente adquirida, depois do torpor de um decênio, pela ideia abolicionista, a lei de 1871 já deverá ser obsoleta. O que nós fizemos em 1871 foi o que a Espanha fez em 1870; a nossa lei Rio Branco de 28 de setembro daquele ano é a lei Moret espanhola de 4 de julho deste último; mas, depois disso, a Espanha já teve outra lei — a de 13 de fevereiro de 1880 — que aboliu a escravidão, desde logo nominalmente, convertendo os escravos em *patrocinados*, mas de fato depois de oito anos decorridos, ao passo que nós estamos ainda na primeira lei.

Pela ação do nosso atual direito, o que a escravatura perde por um lado adquire por outro. Ninguém tem a loucura de supor que o Brasil possa guardar a escravidão por mais vinte anos, qualquer que seja a lei; portanto o serem os *ingênuos* escravos por 21 anos, e não por toda a vida, não altera o problema que temos diante de nós: a necessidade de resgatar do cativeiro 1,5 milhão de pessoas.

Comentando, este ano, a redução pela mortalidade e pela alforria da população escrava desde 1873, escreve o *Jornal do Comércio*:

> Dado que naquela data hajam sido matriculados em todo o Império 500 mil escravos, algarismo muito presumível, é lícito estimar que a população escrava do Brasil assim como diminuiu de uma sexta parte no Rio de Janeiro, haja diminuído no resto do Império em proporção pelo menos igual, donde a existência presumível de 1,25 milhão de escravos. Esse número pode entretanto descer por estimativa a 1,2 milhão de escravos, atentas às causas que têm atuado em vários pontos do Império para maior proporcionalidade nas alforrias.

A esses é preciso somar os *ingênuos*, cujo número excede de 250 mil. Admitindo-se que desse 1,5 milhão de pessoas, que hoje existem, sujeitas à servidão, 60 mil saiam dela anualmente, isto é, o dobro da média do decênio, a escravidão terá desaparecido, com um grande remanescente de *ingênuos*, é certo, a liquidar, em 25 anos, isto é, em 1908. Admito mesmo que a escravidão desapareça d'ora em diante à razão de 75 mil pessoas por ano, ou 5% da massa total, isto é, com uma velocidade duas vezes e meia maior do que a atual. Por esse cálculo a instituição ter-se-á liquidado em 1903, ou dentro de vinte anos. Esse cálculo é otimista, e feito sem contar com a lei, mas por honra dos bons impulsos nacionais eu o aceito como exato.

"Por que não esperais esses vinte anos?" é a pergunta que nos fazem.[1]

Este livro todo é uma resposta àquela pergunta. Vinte anos mais de escravidão, e é a morte do país. Esse período é com efeito curto na história nacional, como por sua vez a história nacional é um momento na vida da humanidade, e esta um instante na da Terra, e assim por diante: mas vinte anos de escravidão quer dizer a ruína de duas gerações mais: a que há pouco entrou na vida civil e a que for educada por esta. Isso é o adiamento por meio século da consciência livre do país.[2]

Vinte anos de escravidão quer dizer o Brasil celebrando, em 1892, o quarto centenário do descobrimento da América, com a sua bandeira coberta de crepe! A ser assim, toda a atual mocidade estaria condenada a viver com a escravidão, a servi-la durante a melhor parte da vida, a manter um Exército, e uma magistratura para torná-la obrigatória, e, pior talvez do que isso, a ver as crianças, que hão de tomar os seus lugares dentro de vinte anos, educadas na mesma escola que ela. *Maxima debetur puero reverentia* é um princípio de que a escravidão escarneceria vendo-o aplicado a simples *crias*; mas ele deve ter alguma influência aplicado aos próprios filhos do senhor.

Vinte anos de escravidão, por outro lado, quer dizer durante todo esse tempo o nome do Brasil inquinado, unido com o da Turquia, arrastado pela lama da Europa e da América, objeto de irrisão na Ásia de tradições imemoriais, e na Oceania, três séculos mais jovem do que nós. Como há de uma nação, assim atada ao pelourinho do mundo, dar ao seu Exército e à sua Marinha, que amanhã podem talvez ser empregados em dominar uma insurreição de escravos, virtudes viris e militares, inspirar-lhes o respeito da pátria? Como pode ela, igualmente, competir, ao fim desse prazo de enervação, com as nações menores que estão crescendo ao seu lado, a República Argentina à razão de 40 mil imigrantes espontâneos e trabalhadores por ano, e o Chile homogeneamente pelo trabalho livre, com todo o seu organismo sadio e forte? Manter, por esse período todo, a escravidão como instituição nacional equivale a dar mais vinte anos para que exerça toda a sua influência mortal à crença de que o Brasil precisa da escravidão para existir: isso, quando o Norte, que era considerado a parte do território que não poderia dispensar o braço escravo, está vivendo sem ele, e a escravidão floresce apenas em São Paulo, que pode pelo seu clima atrair o colono europeu, e com o seu capital pagar o salário do trabalho que empregue, nacional ou estrangeiro.

Estude-se a ação sobre o caráter e a índole do povo de uma lei do alcance e da generalidade da escravidão; veja-se o que é o Estado entre nós, poder coletivo que representa apenas os interesses de uma pequena minoria e, por isso, envolve-se e intervém em tudo o que é da esfera individual, como a proteção à indústria, o emprego da reserva particular e, por outro lado, abstém-se de tudo o que é da sua esfera, como a proteção à vida e segurança individual, a garantia da liberdade dos contratos: por fim, prolongue-se pela imaginação por um tão longo prazo a situação atual das instituições minadas pela anarquia e apenas sustentadas pelo servilismo, com que a escravidão substitui, ao liquidar-se respectivamente, o espírito de liberdade e o de ordem, e diga o brasileiro que ama a sua pátria se podemos continuar por mais vinte anos com esse regímen corruptor e dissolvente.

Se esperar vinte anos quisesse dizer preparar a transição por meio da educação do escravo; desenvolver o espírito de cooperação; promover indústrias; melhorar a sorte dos servos da gleba; repartir com eles a terra que cultivam na forma desse nobre testamento da condessa do Rio Novo; suspender a venda e a compra de homens; abolir os castigos corporais e a perseguição privada; fazer nascer a família, respeitada, apesar da sua condição, honrada em sua pobreza; importar colonos europeus: o adiamento seria por certo um progresso; mas tudo isso é incompatível com a escravidão no seu declínio, na sua bancarrota, porque tudo isso significaria aumento de despesa, e ela só aspira a reduzir o custo das máquinas humanas de que se serve e a dobrar-lhes o trabalho.

Dar dez, quinze, vinte anos ao agricultor para preparar-se para o trabalho livre, isto é, condená-lo à previsão com tanta antecedência, encarregá-lo de elaborar uma mudança, é desconhecer a tendência nacional de deixar para o dia seguinte o que se deve fazer na véspera. Não é prolongando os dias da escravidão que se há de modificar essa aversão à previdência; mas sim destruindo-a, isto é, criando a necessidade, que é o verdadeiro molde do caráter.

Tudo o mais reduz-se a sacrificar 1,5 milhão de pessoas ao interesse privado dos seus proprietários, interesse que vimos ser moralmente e fisicamente homicida, por maior que seja a inconsciência desses dois predicados, por parte de quem o explora. Em outras palavras, para que alguns milhares de indivíduos não fiquem arruinados, para que essa ruína não se consuma, eles precisam, não somente de trabalho, certo e permanente, que o salário lhes pode achar, mas também de que a sua propriedade humana continue a ser permutável, isto é, a ter valor na carteira dos bancos e desconto nas praças do comércio. Um milhão e meio de pessoas têm que ser oferecidas ao Minotauro da escravidão, e nós temos que alimentá-lo durante vinte anos mais, com o sangue das nossas novas gerações. Pior ainda do que isso, 10 milhões de brasileiros, que, nesse decurso de tempo, talvez cheguem a ser 14 milhões, continuarão a suportar os prejuízos efetivos e os lucros cessantes que a escravidão lhes impõe, e vítimas do mesmo espírito retardatário que impede o desenvolvimento do país, a elevação das diversas classes, e conserva a população livre do interior em andrajos, e, mais triste do que isso, indiferente à sua própria condição moral e social. Que interesse ou compaixão podem inspirar ao mundo 10 milhões de homens que confessam que, em faltando-lhes o trabalho forçado e gratuito de poucas centenas de milhares de escravos agrícolas, entre eles velhos, mulheres e crianças, se deixarão morrer de fome no mais belo, rico e fértil território que até hoje nação alguma possuiu? Essa mesma atonia do instinto da conservação pessoal e da energia que ele demanda não estará mostrando a imperiosa necessidade de abolir a escravidão sem perda de um momento?

Dois opúsculos

I

O erro do imperador

Se há alguém neste país a quem o resultado das últimas eleições deva particularmente desagradar, é o chefe de Estado. É provável que até hoje a vitória conservadora só tenha causado satisfação no Paço, mas há de haver no fundo da consciência do imperador partículas luminosas que não tardem a esclarecê-la como o dia. Neste momento o que se vê é somente prestígio do Partido da Ordem, e como a atmosfera dos tronos é, em toda parte, reacionária e inconscientemente simpática a um sonho impossível dos conservadores, deve ter sido tão agradável ao elemento monárquico como foi ao elemento aristocrático.

Nem o imperador, nem sua família, distinguem entre Partido Conservador e monarquia. A experiência de outras casas reinantes não basta para separar nas testas coroadas essas duas entidades diversas. Napoleão também não conceberia Exército francês como noção distinta do Império. Entretanto monarquia e Partido Conservador são forças não só diferentes, mas muitas vezes opostas. Os inimigos de uma instituição são, em sentido vulgar, os que as combatem, mas, em sentido exato, os que as destroem. O parasita está longe de ter ódio, deve ter mesmo amor, ao organismo que o alimenta e que ele arruína. A monarquia não pensa poder viver sem Partido Conservador, o Partido Conservador sabe que pode viver sem monarquia. Em todo o mundo vão-se soberanos e ficam os partidos. É duvidoso até que a forma monárquica seja forma conservadora. A forma conservadora é a oligarquia, da qual a realeza é instintivamente inimiga. O imperador, porém, está convencido do contrário e surpreendê-lo-ia muito quem lhe dissesse que se amanhã viesse a República, os primeiros republicanos seriam os conservadores, porque a República seria o fato consumado, que eles adoram; a força, que eles veneram; os empregos e as posições.

Mas passado esse momento de regozijo, proveniente da confusão das duas noções, o imperador há de considerar a vitória do chamado *seu* partido por outras faces, para onde até agora não lhe lembrou olhar.

Em primeiro lugar ele indagará do valor dessa transformação reacionária do país, e do modo como ela foi obtida, e então começará a despontar-lhe a ideia de que esse triunfo não foi talvez do Partido Conservador, mas dele mesmo, e só resultou da sua intervenção pessoal em nossas lutas políticas. Essa primeira descoberta tão fácil despertará umas reminiscências esquecidas; uma página inteira do seu reinado lhe voltará à memória, alumiada pelo clarão infalível dos fatos posteriores, isto é, do seu desenvolvimento lógico, e ele meditará não sobre o que fizeram os eleitores, elegendo a nova Câmara — porque esse foi um simples fenômeno reflexo, um movimento automático do país —, mas, sim, o que ele mesmo fez, chamando os conservadores ao poder.

Em 1867, no ministério Zacarias, ao mesmo tempo que se empenhava, e empenhava o país, por insistência do imperador em uma luta pessoal de morte com o presidente López, o Partido Liberal iniciou a ideia da emancipação gradual dos escravos. Um ano depois, procurando ostensivamente um pretexto, como era a escolha em situação liberal de um conservador para o Senado, o imperador, que não precisava mais dos liberais para a sua guerra *à outrance*, chamava ao poder os conservadores, e assim, deliberadamente, *motu proprio*, paralisava o movimento emancipador, que ele provavelmente, posso dizer, seguramente, havia instigado o Partido Liberal a criar no país.

Em 1884 Sua Majestade chama ao governo o sr. Dantas. Quer aprovasse, ou desaprovasse *a maneira* de governar deste, o imperador, quando ele perde a confiança da Câmara, sustém-no por meio da dissolução, prova suprema de sua confiança. O sr. Dantas lança o país numa fase abolicionista beneficamente revolucionária, em que a escravidão parecia suprimida de direito, moralmente abandonada de fato, entregue aos seus próprios recursos. Essa atitude tinha ao que parece a simpatia do imperador: ele via a esperança crescer, o espírito público emancipar-se, a nação despontar através das fendas da classe governante, os escravos sentirem-se homens, quase cidadãos.

Tiveram lugar as eleições. O marechalato do partido retraiu-se em parte; em parte foi à batalha com reservas mentais para depois da vitória; e em parte rompeu com o general promovido ao comando em chefe. Em muitos pontos o partido dividiu-se, e sendo as influências eleitorais grandes proprietários de escravos, surgiu um liberalismo híbrido, aliado ao escravagismo, e que em toda parte excedeu em zelo e audácia de vituperação os próprios conservadores, os quais não precisavam de tanto esforço para se recomendarem à escravidão.

Aproveitando a divisão dos liberais, os conservadores elegeram uma grande minoria, sob o censo atual, que se pode chamar o censo de senhor de escravo. Os liberais escravistas, por seu lado, foram eleitos em diversos distritos. Formou-se então o pacto entre dissidentes e conservadores. Um entusiasmo estranho animava essa aliança, *pro aris et focis*, da escravidão invadida. Era preciso salvar o chão sagrado das fazendas; tal grito elevou o sr. Moreira de Barros, com oito votos liberais, à presidência da Câmara; fez o sr. Afonso Pena o oráculo das depurações, e deu ao sr. Andrade Figueira o comando das forças aliadas.

Ao mesmo tempo que o Partido Conservador adquiria o contingente de que precisava para os seus fins, o ministério recebia do povo as maiores demonstrações de simpatia. Os nobres e aristocráticos adversários do sr. Dantas, descendentes quase todos de senhores de engenho e fazendeiros, quando chegavam às janelas da Câmara e viam uma dessas manifestações populares, não descobrindo chapéus altos nem sobrecasacas, mas, num relance, pés no chão e mangas de camisa, diziam somente: "*Aquilo* não vale nada, é a *canalha*".

Talvez, mas o nosso povo é isso mesmo, é um povo *de pés no chão* e *mangas de camisa*, e não é um povo branco. Nesta cidade, se se visse uma grande *manifestação* popular segundo as ideias dessa nobreza de tolerância, seria uma manifestação de estrangeiros. Refratária como ela é às ideias liberais, por ser o mercado do café escravo, encravada na única província verdadeiramente escravista do Império, e além disso fornecedora da lavoura, de escravos e mantimentos, esta capital, no Segundo Reinado, não tem feito senão desnacionalizar-se. Na grande contextura das suas ruas e bondes, as correntes de sentimento público são todas frias, plutocráticas, comerciais; o Rio de Janeiro não é uma cidade como o Recife ainda é, e como ela foi até a Guerra do Paraguai; hoje o coração brasileiro só bate aqui forte, livre, e também inconsciente, nessas camadas espontâneas e quase infantis, que os conservadores, os quais não respeitam senão o dinheiro, qualquer que seja a sua origem, chamam a *canalha*.

Era com efeito um escândalo! Depois de três séculos de escravidão, sofrida sem um murmúrio, o povo brasileiro — descendente de escravos em sua máxima parte — chegou a ter a ousadia de dar *vivas* à abolição!

Tais orgias não podiam continuar. A paz pública estava perturbada. O presidente da Câmara foi objeto de uma vozeria nas ruas. E que há de extraordinário em que, à mínima excitação malévola, os analfabetos, os escravizados, os esquecidos da nossa sociedade cheguem ao extremo de apupar? O rei de Espanha entrou em Paris debaixo de uma tempestade de assobios; mas era somente o rei de Espanha, e por isso o gabinete Ferry continuou. Em nenhum outro país se daria a uma ligeira pateada pública o alcance de uma revolução, nem se faria de uma *vaia* o objeto teatral da maior solenidade do Parlamento — a moção de desconfiança.

Mas por isso mesmo foi o que aconteceu. Alguns irrefletidos, quando saía da Câmara um deputado, atiraram-lhe uns projéteis. Aqueles falsos amigos do abolicionismo não sabiam que estavam lançando a faísca à mina que nos havia de fazer saltar todos. Nos dias seguintes o Senado e a Câmara apresentavam o aspecto mais ridículo possível. A legislatura estava em convulsões. A Convenção francesa, invadida pelas seções, não se teria sentido mais ameaçada. Dir-se-ia que os escravos tinham se apoderado da capital; que uma esquadra inglesa estava no porto de morrões acesos; que o sr. Dantas fizera o imperador prisioneiro e ia decretar a abolição imediata.

A falsa indignação dos conservadores e a ingênua indignação dos dissidentes explodiram primeiro, juntas, no Senado. O sr. Soares Brandão foi quem deu o sinal do pânico fingido, desenrolando a história das cenas selvagens preparadas pelo sr. Dantas para influir na verificação dos poderes! O nobre senador pedia uma espécie de *habeas corpus* moral para os depuradores da Câmara e dava às ridículas vaias da rua Primeiro de Março o caráter de uma tragédia, como o assassinato de Apulcro de Castro. O sr. Paulino de Sousa levou para o Senado a narração do presidente da Câmara, fez um alto elogio ao deputado desrespeitado, descreveu o estado da capital entregue às manifestações abolicionistas — mais degradantes para a nossa civilização do que as surras de escravos no interior das casas — e aos assobios da *canalha* — mais horripilantes do que o silvo do azorrague — e estabeleceu a sua teoria do governo das classes altas. O sr. Teixeira Júnior, num exórdio catilinário, apelou para o Senado, dizendo que precisava imperiosamente partir para a Europa no dia seguinte e não podia deixar sua mulher e seus filhos confiados à guarda do sr. Dantas, o qual, além do mais, estava fazendo o câmbio baixar vertiginosamente! O Senado ouvia tudo isso ansioso, com palpitações que deviam ser dolorosas para um coração atrofiado, e quando o réu ministerial levantou-se e começou com um certo desdém a sua defesa, todos compreenderam que o ardil surtira o efeito, que o ministério abolicionista estava por terra, a escravidão vingada, e o espantalho da ordem pública cuidadosamente recolhido pelos conservadores para afugentar outra vez do poder os pássaros liberais. No dia seguinte, o sr. A. de Sequeira mudou de bancada na Câmara, e, como tudo dependia de um voto, esse peso deslocou o ministério.

Derrotado o gabinete Dantas, por um voto, o imperador mandou chamar o sr. Saraiva. Dentro de poucos dias tudo estava mudado em nossa política. O ministério Saraiva era a reação no momento mais aceso da luta. Na véspera estava a emancipação no poder; no dia seguinte estava a escravidão. Esse foi o primeiro, o grande, o fatal erro do imperador — o erro de arrepender-se, de inutilizar a obra começada, de paralisar o movimento nacional.

Quando a Câmara derribou o sr. Dantas, o imperador devia tê-lo sustentado, senão por ele mesmo, por sua ideia — a bandeira sob a qual se tinha travado a luta eleitoral em urnas levantadas defronte das fazendas e dos engenhos, no Campo Santo onde descansam esquecidos milhões de vítimas inocentes!

Todos sabíamos que a dissidência e os conservadores desejavam um gabinete Saraiva. Esse homem de Estado, a história o dirá, teve em suas mãos a sorte dos escravos, a solução honrosa do maior problema da nossa pátria! O seu prestígio — o maior prestígio político desta geração — teria envolvido no seu brilho a dedicação e a popularidade do seu predecessor e o nome de todos que temos lutado no mesmo terreno, precursores, iniciadores, propagandistas da abolição, se ele tivesse querido plantar o marco redentor no ponto somente a que já havia chegado a nossa conquista! Infelizmente o sr. Saraiva subiu prevenido contra o seu antecessor, contra os que haviam por um dever de honra sustentado a este, e contra todo o movimento da opinião durante o ministério Dantas.

Não tenho o mínimo dado para especificar o motivo dessa prevenção, que me limito a afirmar. Essa matéria é muito delicada e eu não tenho vontade de improvisar uma teoria psicológica, para explicá-la, sobre o eminente senador, a quem não quisera fazer uma injustiça em ponto tão grave. É preciso, porém, justificar-nos a nós mesmos.

Em 1884, quando caiu o ministério Lafayette, o imperador chamou o sr. Saraiva, que desde 1878 tem no país a posição de um homem necessário. O sr. Saraiva não aceitou, alegando que não podia com a Câmara existente fazer passar uma lei de emancipação. O motivo era grande, o pretexto era fraco. O que queria ele recusando? Que subissem os conservadores? Que outro fizesse uma Câmara para ele? Que o imperador lhe oferecesse a dissolução? Ninguém sabe.

Mas desde que o sr. Saraiva não aceitou o poder, e foi chamado o sr. Dantas, o que havia de fazer este? O sr. Dantas organizou [o ministério], para que o governo não passasse aos conservadores, e porque se sentia com forças para prestar um grande serviço ao país. Com o sentido nas eleições, alguns queriam que ele guardasse o seu projeto para depois delas: do ponto de vista moral, teria sido um estratagema indigno; do ponto de vista político, teria sido uma ingenuidade; mas do ponto de vista abolicionista teria sido o maior dos erros. Apresentado o projeto, o que aconteceu foi muito natural. A esse primeiro abalo o partido fendeu-se de alto a baixo (sobretudo no alto, embaixo a fenda foi quase nenhuma); aos delirantes aplausos de um lado responderam as recriminações excessivas do outro; travou-se uma guerra civil de ódios e de injúrias, e o primeiro-ministro achou-se envolvido num turbilhão de paixões contrárias e furiosas, como teria sido qualquer outro *liberal*, que fizesse o que ele fez, ou muito menos do que ele fez, *no momento em que ele o fez*.

A um estadista desse alto patriotismo, o Partido Abolicionista não podia deixar de prestar o seu ilimitado concurso. O ponto a que ele pretendia levar o país ficava no começo da nossa estrada, mas se era a boca mesma da rua que estava defendida pelas melhores peças da escravidão, por que não o ajudarmos a destruir essa primeira resistência que, se nos figurava, também seria a última? Pelo seu lado, vilipendiado pelos proprietários, cujos interesses ele tinha religiosamente consultado e querido salvar, abandonado pelos melhores dentre os seus amigos, combatido por uma aliança que no sistema eleitoral direto colocava o governo em toda parte à mercê dos desertores do partido, o que podia fazer o sr. Dantas senão aceitar o concurso, incondicional, ainda que um tanto adventício, desses voluntários que corriam, sem laços de partido ou pessoais com ele, a defendê-lo da hoste dos seus inimigos selváticos e mentirosos?

Quaisquer que fossem os seus motivos íntimos, o sr. Saraiva levou isso a mal, e formou o gabinete com o espírito não só de desconfiança, mas de agressão, e hostilidade a toda a política, e a cada um dos auxiliares e defensores do anterior ministério. Isso o obrigava desde logo a apoiar-se no Partido Conservador, e portanto a afastar-se do Liberal, que em massa se havia identificado no país com o sr. Dantas e lastimava a sua queda como um desastre nacional.

O que se seguiu todos sabem. A maioria liberal da Câmara assistiu à apresentação do gabinete Saraiva como a um triunfo conservador. Desde o princípio o presidente do Conselho voltou as costas aos liberais e mostrou que ele representava energicamente a coalizão triunfante. As depurações continuaram, provando que a aliança sobrevivia, encarnada agora no gabinete. A Mesa da Câmara liberal era eleita por votos conservadores. A direção da Câmara era conservadora. A escravidão sentira que era preciso fazer alguma coisa, ceder algum terreno, tirando o maior proveito possível da transação, e por isso, com as emendas restritivas do triunvirato e a resistência resignada do sr. Andrade Figueira, que somente queria salvar a sua coerência (sem pensar ainda na candidatura do seu filho por Goiás), passou afinal na Câmara o projeto Saraiva a nova lei.

Antes mesmo de votada a redação, o presidente do Conselho, surpreendendo os seus colegas e lançando a maior confusão entre os seus aliados, demitiu-se. O motivo dessa demissão também não é conhecido, mas o sr. Saraiva não teve a ideia, demitindo-se, de fazer a lei passar tal qual, nem mesmo podia prever, com toda a sua experiência, que tal seria o resultado prático da demissão. Ele retirou-se, eu suponho, desgostoso de sua lei e dos seus auxiliares. Um homem da sua têmpera não podia sucumbir à oposição que ele mesmo deliberadamente provocou, e muito menos a agressões pessoais, de que ele foi menos vítima do que outro qualquer liberal.

Muito provavelmente ele viu que se estava gastando em uma obra inexequível e odiosa, e que os seus aliados, uns eram intitulados liberais, que o tinham ido procurar no seu retiro para desacreditarem com o prestígio dele a fase mais brilhante do partido, e os outros eram os conservadores — os quais consideravam a lei uma fantasia legislativa, organicamente imprestável para a emancipação. De fato, como monumento do liberalismo construtivo dos nossos estadistas, esse labirinto africano pode ser conservado ao lado do pagode chinês como o A e o Z do nosso alfabeto democrático. O ilustre primeiro-ministro sentiu que não valia a pena continuar a promover uma lei que não seria executada; que era em relação à liberdade ao mesmo tempo um subterfúgio e um estelionato; que prometia aos senhores o que não podia dar-lhes, somente para tirar aos escravos o que se lhes tinha prometido; que a escravidão inteira do país aceitava como letra morta em tudo que a restringia e uma reivindicação em tudo que a ampliava.

Esse desânimo do homem de Estado, que vê a sua ação individual aproveitar não aos que ele queria beneficiar, mas aos adversários de suas ideias, convertidos por interesse próprio em auxiliares de sua política, atuou, penso eu, no espírito do sr. Saraiva quando ele se demitiu, mais pelo menos do que a *segunda vista*, o sentido profético que lhe emprestam, de ter querido garantir com a sua retirada a votação integral do projeto.

Quando o sr. Saraiva deixou o poder, o imperador achou-se no ponto a que desejava chegar — naturalmente, ou melhor, queria que a opinião o levasse, isto é, frente a frente com os conservadores. Os srs. Cotegipe e Fleury foram ao Paço, conversaram com Sua Majestade, tiveram ordem de ir conversar com os seus amigos; o sr. Paranaguá, ministro do gabinete caído, foi chamado, recusou como era natural, previsto e sabido; o sr. Cotegipe foi encarregado de organizar, e o Partido Conservador recebeu o prêmio de boa conduta por ter apoiado o projeto Saraiva.

O ministério conservador só não governou com a Câmara liberal *porque não quis*. A aliança de 1885 havia desmoralizado profundamente o nosso partido dentro do Parlamento. Se os conservadores alegassem qualquer pretexto mais ou menos decente, teriam achado os votos de que precisavam. Um grupo em suas feições cearense, mas de inspiração alagoana, tinha manifestado as maiores afinidades para os conservadores que lhe deviam a sua ascensão. O Partido Liberal, uma vez em oposição, teria naturalmente que agitar grandes reformas, o que bastaria para explicar o prolongamento da aliança. Mas o governo tinha necessidade de outra Câmara, e, ainda que disposto a ser generoso nas eleições com aqueles bons amigos, não queria mais depender deles.

Antes de dissolver o ministério, obteve do Senado a lei. O Senado não podia emendar: estava vinculado ao pacto anterior! A discussão, apesar de notáveis discursos dos srs. Afonso Celso e José Bonifácio, não teve dignidade. A lei passou tal qual. Nomearam-se os presidentes e fizeram-se as eleições. Foi eleita uma Câmara quase unânime, na qual talvez a maioria dos poucos liberais seja dos mesmos que prepararam a subida dos conservadores, ou que a aceitaram de bom grado para castigar o abolicionismo do partido. Essa é a situação de hoje.

Agora o resumo.

Os fatos que aí vão fielmente narrados e os que para não alongar deixei de referir com eles são principalmente os que se seguem.

Primeira fase: O imperador em 1884 chama o sr. Dantas ao poder; dissolve a Câmara a pedido dele; vê as eleições travadas no terreno, exclusivamente, da emancipação; observa que a escravidão divide o Partido Liberal e une o Partido Conservador, e só desse cimento negro resulta a segurança da alvenaria oposicionista; vê do outro lado a esperança nacional manifestar-se de todos os modos, por um entusiasmo novo no país. É a fase da luta.

Segunda fase: As eleições têm lugar: o imperador vê a falange escravista unida como um só homem constituir a Câmara e derribar o ministério Dantas, e chama ao poder o sr. Saraiva. A escravidão, abalada, triunfa; os conservadores sentem-se no poder; a aliança consolida-se e resulta em um projeto de lei satisfatório para a lavoura e opressivo para os escravos; quando esse projeto passa na Câmara, o sr. Saraiva demite-se. É a fase da capitulação.

Terceira fase: O imperador, depois de uma tentativa liberal manifestamente fingida, chama os conservadores e impõe-lhes desde logo um programa: fazer passar o projeto tal qual foi votado na Câmara. A lei passa nas duas casas. O movimento abolicionista decresce em todo o país. O período eleitoral é em toda parte a livre vindita da escravidão. Os escravos são perseguidos. A lei não é executada. As eleições dão uma Câmara conservadora quase unânime. É a fase da reação.

Quem escreve estas linhas não é inimigo partidário nem desafeto do imperador, muito pelo contrário, e assim como sempre fala respeitosamente do chefe de Estado, desejara poder ocupar-se da política do país sem envolver a alta personalidade que a Constituição neutralizou, tornando-a irresponsável. Mas seria evidente hipocrisia comentar os grandes fatos, a arquitetura do reinado, sem considerar a ação do imperador, que se não é tudo em nossa política, é quase tudo. O presente opúsculo é pequeno demais para conter o desenvolvimento da seguinte ideia, mas do que eu acuso o imperador quando me refiro ao governo pessoal, não é de exercer o governo pessoal, é de não servir-se dele para grandes fins nacionais. A acusação que eu faço a esse déspota constitucional é de não ser ele um déspota civilizador; é de não ter resolução ou vontade de romper as ficções de um parlamentarismo fraudulento, como *ele sabe* que é o nosso, para procurar o povo nas suas senzalas ou nos seus mocambos e visitar a nação no seu leito de paralítica.

Eu mesmo tenho feito justiça (vide *O abolicionismo*, p. 74) aos pálidos e intervalados esforços do imperador, tanto para a supressão do tráfico como para a libertação dos nascituros. O que se tem feito por lei é devido *principalmente* a ele, mas o que a lei tem feito é muito pouco, é realmente nada, quando vemos que esse é o resultado de 46 anos de reinado e comparamos o que se salvou do naufrágio com o que se perdeu e se está perdendo! A história há de dificilmente conciliar a inteligência esclarecida, a vasta ciência do homem com a indiferença moral do chefe de Estado pela condição dos escravos no seu país. A esse respeito eu não podia agora senão repetir o que disse de Sua Majestade na Câmara dos Deputados, comentando a queda da situação liberal:

Ele, senhor presidente, disse eu, nunca teve que se preocupar, como o czar da Rússia, com a vida dos seus filhos: como o rei constitucional da Espanha com a explosão simultânea do carlismo no Norte e da República no Sul, como os reis de pequenos Estados, a Bélgica e a Holanda, a Dinamarca, com o crescimento de uma grande nacionalidade vizinha; como a rainha da Grã-Bretanha, com o separatismo e o nacionalismo irlandês; como os outros imperadores, com as combinações de forças rivais e alianças possíveis. Não, entre nós não existem nem carbonários nem niilistas; não temos receio de absorção, nem de desmembramento, nem de coligações. Um único problema, social, e portanto individual para quem representa a sociedade como ele, foi imposto à atenção do monarca brasileiro: o de governar sobre um país sem escravos. O que se lhe pedia é o que o mundo tem pedido ao sultão da Turquia, ao vice-rei do Egito, ao imperador de Marrocos, ao régulo de Zanzibar. Desde 1840 ele não teve outra missão, não foi chamado a outra tarefa, e, no entanto, senhor presidente, o indiferentismo do imperador pela escravidão não podia ser maior. Ele habituou-se a ela; perdeu de vista o ideal de uma nação livre; esqueceu-se de que seu genro foi libertar os escravos do Paraguai; que o mundo lhe dava a reputação de um Marco Aurélio; não invejou a glória de Leopoldo II da

Bélgica — ele que foi tanto comparado a Leopoldo I — de fundar, pela iniciativa e seu esforço, um Estado livre no coração da África para extinguir eternamente as fontes da escravidão da cor. Esse problema, que é de dignidade para a nação mas de vergonha para o trono — essa tarefa divina e humana, que os dois grandes libertadores, o do absolutismo e o da República, Alexandre e Lincoln, resolveram em 24 horas, o imperador do Brasil não lhe deu um minuto de suas preocupações, não correu para ela o menor risco, e passou 45 anos sem pronunciar sequer do trono uma palavra em que a história pudesse ver uma condenação formal da escravidão pela monarquia, um sacrifício da dinastia pela liberdade, um apelo do monarca ao povo a favor dos escravos.

Nada, absolutamente nada, e hoje que os dez próximos anos, os últimos da escravidão, serão provavelmente também os últimos do reinado, nesse espaço de tempo que equivale ao antigo *interregnum* das monarquias eletivas, porque nas monarquias populares, a despeito de todas as Constituições escritas, é então que se firma definitivamente o direito de sucessão, o imperador, no meio da agitação abolicionista, e no dia seguinte ao das eleições mais disputadas que já houve neste país, substitui o partido, que se apresentou ao eleitorado, em nome da liberdade, chamando a si o patrocínio dos escravos, pelo partido que não se propôs outra coisa neste Parlamento senão ser o agente e o defensor da escravidão, isto é, volta-nos as costas, a nós, que fomos acusados de ter feito um pacto com ele, no dia da derrota que devia ser comum e falar à lealdade de um poder... que não pode deixar de ter consciência de que, sacrificando-nos pelo país e pelos escravos, estávamos servindo direta, ainda que desinteressadamente, à causa do único trono americano. (Sessão de 24 de agosto de 1885)

A conduta dos pensadores da escravidão, votando a lei Saraiva, foi um plano de defesa admirável.

O Partido Conservador revelou verdadeiro gênio estratégico, e ao mesmo tempo grande superioridade de superstições da honra política, em todos os seus movimentos na questão abolicionista. Quem quer que seja o espírito diretor desse partido, é forçoso admitir que ele conhece bem a orografia do poder, e só leva consigo a bagagem moral precisa para viajar nessas montanhas. Não pode haver, na simples política do sucesso, nada mais perfeito do que foi: levantar, primeiro, a escravidão inteira contra o abolicionismo, receber o apoio solidário e compacto da agricultura unida, sacar ilimitadamente sobre a riqueza nacional acumulada, e depois da vitória dessa intransigência da propriedade contra o comunismo, dessa cruzada dos homens de bem contra os que não têm nada a perder, ceder de repente, apresentar uma reforma como ainda mais adiantada que o projeto que originou a guerra civil, tudo para galgar o poder e cunhar moeda para a escravidão com os próprios sentimentos abolicionistas do país! A Providência é indiferente, neste mundo, à prosperidade do mau; ela mesmo para não tocar na beleza da virtude, diria Renan, parece alegrar-se em deixar os prêmios da vida (quaisquer que sejam as recompensas da morte) não aos bons, mas aos espertos. O Partido Conservador sabe que a nossa Providência política é da mesma escola, talvez para não diminuir a suma do desinteresse nacional que sustenta a monarquia.

A política não entrará na arte de furtar, mas é a arte de aproveitar, e dessa arte a obra-prima ficará sendo a maneira como o Partido Conservador utilizou-se dessa questão dos escravos; a soberba indiferença com que ele viu, em toda essa grande humilhação e ainda maior dor dos brasileiros, apenas uma feliz oportunidade para si; a certeza de visão longínqua com que se despenhou sobre a carniça humana estendida pelo nosso território e a serenidade com que a está digerindo no seu esconderijo tumular. A segurança de todos esses movimentos faz crer que ele teve sempre quem o guiasse inspiradamente, consultando o oráculo.

O eclipse do abolicionismo na reação conservadora era inevitável, também a prostituição eleitoral, a perseguição dos escravos, a paralisia da lei.

A situação liberal, é preciso dizê-lo, foi um período de apostasia e desfalecimentos no poder, mas foi também um grande período de agitação no país. Ela perdeu-se pelo que produziu, mas há de ser salva pelo que semeou. Apesar de tudo foi uma época de vida e de movimento, em que os governos pelo menos aparentavam respeitar a opinião. Hoje o espírito que sopra sobre o país é um espírito de mercantilismo, de estupidez, e de indiferença moral. O ideal conservador entre nós é a estagnação no embrutecimento, o rancor no exclusivismo, o silêncio na corrupção. A nação ia despontando, hoje não se atreve mais a murmurar. É o reinado da escravidão soberana, da autoridade discricionária, da força bruta e irresponsável.

O Brasil voltou a ser um mercado de escravos, em alta; os cativos perderam o começo de apoio que iam encontrando na magistratura; a agitação dos espíritos está sendo substituída pela sombria resignação ao triste destino do brasileiro; as finanças ficarão reduzidas ao que lhes pode dar o espírito conservador, que é unicamente uma liquidação ruinosa, porque somente grandes reformas sociais podem restabelecer o crédito público; a centralização terminará sua obra de ruína das províncias, ao passo que a intolerância facciosa do governo tratará em toda parte, na Marinha como no Exército, na engenharia como na magistratura, na vida pública como na privada, os liberais independentes como excomungados da Idade Média.

Pois bem, o culpado de tudo isso é principalmente o imperador, porque quando era preciso caminhar resolutamente para diante, ele voltou para trás; quando o país ansiava por ideias novas e um espírito de governo novo, ele só pensou em dar arras à escravidão e em reconciliar-se publicamente com ela, sujeitando-se à penitência humilhante que ela lhe impôs como ao seu primeiro vassalo.

Quem reflete que o trono do Brasil descansa, como todas as instituições do país, sobre camadas de gerações inteiras de cativos, custa a compreender que o homem de bem que nele se assenta não tenha às vezes uma impressão de tristeza ou de misericórdia, pensando no que a nossa escravidão continuará a ser por muito tempo ainda — *somente porque ele o quis*. Em 1885 um ato, uma palavra do imperador teria vencido a resistência enfraquecida do escravagismo, que se extenuou derribando o ministério Dantas. Em vez desse ato ou dessa palavra, Sua Majestade fez exatamente o contrário: dissolveu a Câmara com a resolução formada de entregar o país à reação escravista, sacrificando assim à desforra da escravidão a honra do seu reinado!

O que está acontecendo: essa Câmara quase unânime, esse abatimento do ânimo público, essa multidão de novos conservadores, que nas províncias pululam como vermes, essa paralisação súbita da esperança, e apenas, como contraste, o novo êxodo de tantos liberais para a República, são o desenvolvimento natural da ação direta e exclusiva da Coroa — suspendendo o movimento abolicionista e reanimando as pretensões, mesmo as caducas e prescritas, do escravagismo, ao ponto de revogar a lei de 28 de setembro em seus mais sagrados compromissos.

Ao ato majestático de 19 de agosto de 1885, ao testamento imperial que, deserdando os escravos, fez do Partido Conservador o fideicomissário da monarquia, ao golpe de Estado que restituiu ao espírito escravista a posse da geração contemporânea, que se havia quase libertado dele, eu chamo — o erro do imperador. É possível, porém, que a história, contemplando a soma *incalculável* de injustiças, sofrimentos, opressões e martírios, que hão de assinalar à sombra da nova lei esta fase de recrudescência da escravidão, e observando diante desse espetáculo enlouquecedor a tranquilidade olímpica de quem preside a ele diariamente, pense que o erro político, quando envolve uma infinidade de crimes dessa ordem, é o maior de todos eles.

II

O eclipse do abolicionismo

Entre os serviços de que o atual presidente do Conselho há de gabar-se, ao conversar com o imperador, o principal é seguramente o de haver suprimido a agitação abolicionista. Ele pôde, com efeito, expor a Sua Majestade o contraste notável daquela agitação com a tranquilidade que hoje reina no país.

A lavoura está calma, tanto que se não ouve mais falar no sr. Ramalhão Ortigão, em quem encarnou, em uma grande crise, o espírito de resistência de uma sociedade toda. Isso é altamente honroso para ele. Na história não se terá visto muitas vezes essa singularidade das classes conservadoras e dirigentes de um país moverem-se à inspiração de um estrangeiro, que não fosse o seu rei. Os clubes do comércio e da lavoura que tinham, alguns deles, em seus estatutos, a execução da lei de Lynch e vomitavam fogo e pedras calcinadas contra o imperador abolicionista, dispersaram-se mansamente.

O movimento provincial, que libertou o Ceará e o Amazonas, deixando também o Rio Grande do Sul muito perto do fim, parou e retrocede. Os *ingleses* desapareceram da imprensa para dar lugar aos anônimos. Clarkson (Gusmão Lobo), Grey (Rui Barbosa), Rodolfo Dantas, Barros Pimentel, que emulavam nos entrelinhados do governo em eloquência e ardor apaixonado pela abolição a todo transe, veem o evangelho que eles pregavam traduzido em linguagem conservadora, isto é, em editais contra escravos sexagenários ou africanos do Segundo Reinado, e anúncios pondo a prêmio — porque a apreensão pelo capitão do mato pode dar lugar ao assassinato do escravo fugido — a cabeça de entes humanos. Quando algum escritor oficial aparece é para doutrinar esta capital nos mandamentos da escravidão. Em toda parte os abolicionistas sentem que a opinião está sendo resfriada por uma forte corrente glacial que desce do polo de São Cristóvão. O povo está indiferente à sua própria cor. Nem mesmo o sinal visível de que a escravidão dormiu com ele no berço lhe traz reminiscências dela. Vê-se em todo o país o cansaço que sucede a um esforço superior à elasticidade do organismo, à concentração do espírito em uma obra de desinteresse.

Dois anos, ou três, de abolicionismo, isto é, de preocupação da própria dignidade, parecem ter gasto a reserva moral da nação, a sua capacidade de ressentir. E que maior serviço para um governo do que presidir a essa volta do país no seu contentamento habitual? Que satisfação igual à de ver de repente, pelo efeito da subida do Partido Conservador, a face da nação que parecia arder com a chama do pudor, revelando a excitação do cérebro sob a pressão da honra, descorar de novo em sua palidez caquética?

Eu não creio que o imperador agradeça nada ao sr. Cotegipe tanto como essa metamorfose nacional. Por todos os motivos, o imperador não pode estimar que se fale muito em escravidão. Eu, por exemplo, há oito anos quase não me ocupo de outra coisa, e assim reduzi minha inteligência, errática por natureza, não felizmente a fixar-se nessa ideia única, porque isso a teria morto num cárcere, mas a nada produzir que não tivesse relação imediata e direta com a enfermidade orgânica do país, o seu mal incurável. Quem é homem de letras avalia bem esse sacrifício de concentrar as "faculdades criadoras" do pensamento em uma obra exclusiva, da qual se começa por fazer uma religião e se acaba tendo feito uma vida. Eu, porém, não fiz da abolição uma coisa, e não estou fazendo outra, por prazer, nem por vocação de apóstolo, mas por dever, obedecendo ao simples *imperativo categórico* da minha nacionalidade, ao fato unicamente de ser brasileiro; e como eu há tantos! É evidente que a escravidão não fere a retina moral do imperador como fere a nossa, e portanto o desejo de Sua Majestade não pode ser outro senão que lhe tirem da vista esse quadro de horrores que o desgosta sem o preocupar.

Nascido no trono e governando o Brasil desde 1840, o imperador estimaria que a posteridade esquecesse a escravidão entre os fatos menores do seu reinado. O seu biógrafo ideal seria aquele que pondo em alto relevo todas as suas qualidades, o seu amor às letras e simplicidade de maneiras, falasse dele como de um Marco Aurélio, ou de um Washington, não dando mais importância do que a história tem dado ao exaltar qualquer desses grandes homens à existência da escravidão sob o seu governo.

Mesmo em relação aos escravos, o biógrafo poderia, partindo da minha admissão de que tudo que existe por lei é devido *principalmente* ao imperador, estabelecer um contraste entre o chefe de Estado e a sociedade do seu tempo; poderia contar (e para isso dom Pedro II faria bem em começar as suas memórias) as suas insistências com os ministérios do primeiro decênio para a abolição do tráfico, do terceiro decênio para a libertação dos nascituros e do quarto para medidas complementares. Estudos sobre os contemporâneos com quem o imperador lidou ilustrariam bem a história: esses estudos poderiam versar sobre as ideias abolicionistas de cada um deles em diversas épocas, a espécie de senhores que foram, as relações que tiveram com os traficantes poderosos, as suas dependências diretas do capital escravista, e ramificações de família entre os grandes proprietários. Um documento interessante para a justificação do imperador seria, por exemplo, o recenseamento dos escravos dos chefes políticos, sem excetuar os republicanos — ainda na hora presente da escravidão, e a atual estatística de escravos dos ministros, membros do Parlamento, magistrados, sacerdotes etc. Depois de tudo o biógrafo acrescentaria aos títulos humanistas de Sua Majestade um título humanitário: o de emancipador dos escravos. Imaginando-se que a escravidão acabe em vida de dom Pedro II, ele diria que a extinção dela coroou um reinado que levou a nação, sem abalo nem legados de ódios entre raças e classes, e sim no meio da paz pública, não sentindo ela mesmo para onde era conduzida, a liquidar, com a maior abnegação possível, um capital de milhões de contos e a desfazer-se de uma instituição de três séculos em um breve período de tempo.

Apesar, porém, de acréscimo de fama que lhe possa advir, em mãos de um futuro panegirista que o saiba desenvolver, do argumento épico acima colocado, eu estou certo que o imperador prefere não ouvir falar em escravidão. Ele sente que, mesmo quando os seus sentimentos contrastassem com a indiferença empedernida dos ministros, dos senadores, padres, juízes etc., o que ele fez é nada ao lado do que ele podia ter feito, se a observação das senzalas lhe causasse tanto interesse como, por exemplo, a contemplação do céu. É certo que de 1840 até bem proximamente a ideia abolicionista tinha despontado em muito poucas consciências, mas não lhe há de ser indiferente esse mesmo fato: de não ter sido a dele uma dessas em que a concepção moral do Estado brasileiro se fez espontaneamente. Mas, em seguida, o imperador *sabe* que ele é insensível à escravidão; *sabe* que nunca perguntou aos milhares de pequenos senhores feudais possuidores do território do povo da sua monarquia, quando lhe iam humildemente beijar a mão, e ele os fazia barões e viscondes: *Como estão seus escravos*? Sua Majestade sempre foi um bom limítrofe: suserano de cada um deles, vassalo de todos eles juntos, o representante da realeza nunca atravessou a linha divisória entre a soberania do Estado e a soberania da escravidão.

O imperador além disso conhece a dureza do costume que se constituiu lei do país pela pusilanimidade e cumplicidade da magistratura. Ele não ignora que um galé de volta de Fernando de Noronha pode tornar-se senhor de uma rapariga de vinte anos, que o magistrado mesmo que o sentenciou lhe entrega corpo e alma, sem nenhuma proteção, e sabe que o braço da nossa justiça não é nem bastante longo nem bastante forte para abrir as porteiras das fazendas; que o júri chegou em tudo que respeita a escravos ao último grau de abjeção, tornando-se o auxiliar dos linchadores, e que o seu ministério, o seu Senado, a sua Câmara dos Deputados, o seu Conselho de Estado, a sua aristocracia, as suas faculdades de direito, a sua magistratura, o seu clero, a sua polícia — de senhores de escravos — constituem juntos e com ele mesmo um como sacerdócio egípcio da escravidão, um cárcere hierárquico em que escravos são sepultados vivos.

Por tudo isso nada é mais desagradável para Sua Majestade do que ouvir falar sempre na instituição homicida que temos no país, e para cujas desumanidades e extorsões seria preciso além do atual código penal, que se aplica a ela em quase todos os seus artigos, um código especial dos crimes obsoletos da história.

Sua Majestade quisera ver a eloquência nacional, a que penetra no coração do povo, empregar-se em outros misteres que não o de agitar aos olhos do país a camisa ensanguentada do escravo. Ele preferia talvez que a escravidão não existisse; mas, desde que existe, que não se falasse nela, para essa nódoa de sangue não ser visível em sua coroa, nem na fronte do país. Ora, a agitação abolicionista é o grito vibrante, eterno, e sempre doloridamente compassivo do Abel brasileiro. Que serviço podia o Partido Conservador prestar, igual ao de abafar esse grito quando ele começava a ser ouvido do mundo?

Entretanto esse eclipse do abolicionismo, produzido pela posição de um corpo opaco — o Partido Conservador — entre o Brasil e a humanidade, essa escuridão foi um dos mais tristes e fatais resultados da mudança política de 19 de agosto. Não é sem pesar que eu releio hoje os prognósticos de esperança que nós, abolicionistas, fazíamos em 1884, os hinos que entoávamos à velocidade crescente da onda de justiça, reparação e magnanimidade, que se desenrolava sobre toda a nação brasileira naquele ano de entusiasmo e ilusão.

Uma vez, por exemplo, no Teatro Santa Isabel, no Recife, eu não pude deixar de saudar a marcha poderosa dessa torrente moral e humana, que fazia o orgulho do nosso país.

"Para qualquer lado que me volto", disse eu,

> vejo o horizonte coberto pelas águas dessa inundação enorme. Eu vi essa corrente, que hoje alaga o país como um rio equatorial nas suas cheias, quando ela descia como um fio de água cristalina dos cimos de algumas inteligências e das fontes de alguns corações, iluminados umas e outros pelos raios do nosso futuro. Eu o vi, esse rio já formado, abrir o seu caminho, como o Niágara pelo coração da rocha, pelo granito de resistências seculares. Viu-o quando, depois das cataratas, ele ganhou as planícies descobertas da opinião e desdobrou-se em toda a sua largura, alimentado por inúmeros afluentes vindos de todos os pontos da inteligência, da honra e do sentimento nacional; mudando de nome no seu curso como o Solimões — chamando-se primeiro Ceará, depois Amazonas, depois Rio Grande do Sul e hoje o vejo a despejar-se no grande oceano da igualdade humana, dividido em tantos braços quantas são as províncias, levando em suas ondas os despojos de cinco

ministérios e a represa de uma legislatura, e eu vos digo, senhores, não tenhais medo da força dessa enchente, do volume dessas águas, dos prejuízos dessa inundação, porque assim como o Nilo deposita sobre o solo árido do Egito o lodo de que saem as grandes colheitas por forma que se disse que o Egito é *um presente do Nilo*: assim também a corrente abolicionista leva suspensos em suas águas os depósitos de trabalho livre e de dignidade humana, o solo físico e moral do Brasil futuro, do qual se há de dizer um dia que ele na sua prosperidade e na sua grandeza foi um presente do abolicionismo.

Felizes os tempos em que se podia falar assim, acompanhando o mais nobre dos esforços do país até ser quase coroado pelo sucesso, sentindo crescer o pulso da dignidade nacional, vendo diminuir no mapa do mundo a mancha negra do Brasil, esperando o raiar de um dia em que todos nos sentíssemos limpos como os leprosos do Evangelho depois da palavra de Jesus.

Mas o eclipse do abolicionismo já tem durado demais. É preciso sacudir esse torpor e recomeçar a campanha. Nós devíamos estar preparados para ver alguns conservadores, que, dizendo-se abolicionistas, combateram conosco os ministérios liberais escravocratas, abandonarem-nos logo que se formasse o primeiro ministério escravocrata conservador. Eles achavam que nós, pela ideia abolicionista, podíamos guerrear sucessivamente (excetuando o gabinete Dantas) todos os governos do partido, mas em combaterem eles um governo conservador pela mesma ideia, nunca pensaram seriamente. Fazendo-se de abolicionistas na situação liberal, estavam apenas trabalhando para a elevação do seu próprio partido! Alcançado o fim, quem se lembra mais de tudo o que eles disseram e escreveram durante o seu disfarce? Nem eles mesmos. O exemplo dessa defecção começou na Câmara com os abolicionistas cearenses.

Por outro lado também o desânimo era natural. Depois de uma propaganda pela liberdade como nunca se tinha visto em nosso país, depois de termos levado a quase todas as consciências a convicção de que a escravidão é um *crime*, depois de termos criado um interesse palpitante pela sorte dos escravos, o que resultou de todos os nossos esforços?

A escravidão apoderou-se do movimento abolicionista por meio de uma simulação, e conseguiu, em nome das nossas ideias, duplicar, triplicar, quadruplicar o valor dos seus escravos, constituir para si mesmos um fundo de amortização lançando impostos sobre os seus adversários e as suas vítimas, e, o que é pior, retocar a lei de 28 de setembro na parte que a constrangia: o modo do resgate, violando o direito mais valioso do escravo, o único por meio do qual ele podia chegar a ser tratado como um homem e ter uma família, também humana, e não animal, em nosso país.

Quem quer aquecer com o seu próprio ardor moral uma sociedade enregelada, há de sentir-se penetrado do frio exterior nos momentos de inércia e de repouso. Mas basta de estupefação e desgosto.

Hoje o dever de continuar a lutar resulta mesmo da segunda lei de 28 de setembro. Não é este o momento de estabelecer nestes opúsculos o contraste das duas leis. Mas direi sempre: uma, na frase de Sales Tôrres Homem, atacou "a pirataria em roda dos berços"; a outra estabeleceu a mesma pirataria em roda dos túmulos. É uma lei de coveiros para chacais! Se durante a ação da primeira, o movimento abolicionista chegou a ser o que vimos, depois da segunda, é de nossa honra que ele tome ainda maiores proporções. É preciso que a nova legislatura, escravista como é, representando entre os seus diversos membros milhares de escravos e as tradições sinistras do tráfico, vote uma lei que apague a do ano passado. Para isso devemos fazer um grande apelo aos espíritos liberais que o Partido Conservador tenha no seu seio, sobretudo, os representantes de províncias onde o abolicionismo tem feito maiores conquistas. A estes pertence o papel que nós, abolicionistas-liberais, tivemos na situação passada no seio do nosso partido. O Brasil tem caminhado bastante para o Partido Conservador poder tornar-se, pelo menos em sua fronteira liberal, tão inimigo da escravidão como o é o Partido Conservador da Inglaterra ou da França.

Mas o principal recurso de todos nós, para ser contínua e incessantemente repetido sob todas as formas imagináveis e de todos os pontos do país e do mundo, deve ser ao imperador. O ministério é dele, o Partido Conservador é dele, e é preciso que ele não seja da escravidão, e que uma vez pelo menos se sirva da força nacional, que representa, para um grande fim nacional.

Há um prazer que eu sinto ao reler o que escrevi há anos: o prazer de ser o mesmo. A linguagem que emprego hoje é exatamente a que usei em 1871, quando o imperador fez a sua primeira viagem ao exterior. Imaginando-o nos Estados Unidos, eu escrevia, há já quinze anos, um espaço relativamente longo, na *Reforma* de 28 de março de 1871, em artigo assinado Jefferson:

> Ali veria ele de quantos sacrifícios um grande povo é capaz para resgatar do domínio de crimes seculares sua reputação e sua honra. Cada um desses campos, hoje renascentes, onde a cana e o algodoeiro brotam dos sulcos das balas; uma por uma, essas ruínas amontoadas, a desolação da parte meridional do território, tudo falaria das últimas grandes batalhas que a escravidão se atreveu a pelejar. O Ohio, separando o campo da liberdade do campo da servidão, regando de águas fecundas o primeiro, cobrindo de charcos o segundo, apresentar-lhe-ia os frutos do trabalho livre e os do escravo frente a frente, como os apresentou ao insigne pintor da *Democracia*

na América; e vendo mais longe, como no assassinato de Lincoln, o punhal ou o revólver escravocrata iminente sobre si, isso mesmo o animaria à obra, se ele aspirasse o ar forte desses climas e se ao tocar "na terra da Liberdade" ganhasse a virilidade dos seus primeiros filhos. Então, de volta, esse poder sem limites que a indiferença pública e geral descalabro político foram lentamente acumulando em suas mãos, esse poder de que até hoje ele se tem servido para derribar os partidos gastos e gastar os partidos fortes, aplicado à luz, e não à sombra constitucional, com coragem e não com artifícios, realizaria a grande obra da emancipação dos escravos.

Não se me acuse de otimismo incurável por eu ainda me dirigir ao imperador, pedindo que ponha termo à barbárie do seu reinado. O poder é ele, a responsabilidade deve ser dele. Nós, abolicionistas, pelo menos, devemos ver claro no que concerne à escravidão. O projeto Saraiva deixou de existir constitucionalmente no dia em que o sr. Saraiva se demitiu, e se hoje é lei do Império foi somente porque o imperador o ressuscitou, porque o imperador o quis. O sr. Saraiva é, por certo, uma individualidade, e o sr. Cotegipe também tem vontade própria, mas se eles unidos e um após outro fizeram passar aquela lei, foi porque o imperador entendeu que devia chamá-los para fazê-la passar, e se depois de promulgada ela deixou de ter execução foi porque o imperador fechou os olhos. A reação atual é conservadora, tem a responsabilidade do Partido Conservador, mas quem ideou essa reação, quem fez retroceder a sombra do sol no disco da segunda Independência brasileira foi o imperador. A ele pois é que devemos pedir misericórdia para as vítimas.

As estátuas imperiais eram em Roma refúgio para os escravos, como os altares das igrejas. No Brasil o trono está completamente isolado, numa eminência nua e deserta. O escravo brasileiro, nos pensamentos que precedem o suicídio, acharia mais fácil chegar a nado ao navio de guerra estrangeiro que ele avista no alto-mar do que subir aquela montanha inacessível. Mas é possível que o imperador ressinta uma vez a nossa indignação. É possível que o Memnon imperial, ferido no seu granito pelos raios nascentes de uma consciência, exale pela primeira vez o gemido de 1 milhão de peitos. É possível que o brasileiro que se senta no trono compreenda por fim que o Brasil não deve figurar até ao fim do século como o representante da idade fóssil do escravo, o mamute colossal da escravidão.

Eu poderia dizer que procedendo dessa forma, ele, que ocupa no Instituto de França a cadeira de Pedro, o Grande, teria feito tanto com um simples ato humanitário para elevar a posição moral do seu país no mundo como aquele com as suas conquistas nos três mares para transformar a Rússia em grande potência. E poderia acrescentar que semelhante iniciativa, se fosse individual e ousada, equivaleria a lançar em sinal de aliança o anel da dinastia nas profundezas do nosso povo, como os doges de Veneza lançavam no Adriático o símbolo da sua união com o mar.

Mas eu prefiro pedir ao imperador, representante coroado da raça branca, que, dando um pequeno valor a cada vida humana passada do berço ao túmulo em cativeiro, a cada açoite sofrido por não trabalhar a contento de outrem, a cada criança morta por se ter impedido a mãe de aleitá-la, a cada mulher violada em seu pudor, a cada pecúlio de lágrimas, a cada família dispersa para sempre do Norte ao Sul nesta Sibéria tão implacável em suas distâncias para os escravos como a Sibéria russa para os niilistas, a cada morte por maus-tratos e perseguição diária, a cada suicídio por excesso de sofrimentos, a cada crime para trocar o cativeiro pelas galés, a cada indivíduo explorado minuto por minuto em suas aptidões, sua saúde, e até em sua dedicação e seu amor, forme de todos esses valores morais, e muitos outros semelhantes, uma quantidade que eu chamarei A.

Depois eu pediria a Sua Majestade que formasse com os valores correspondentes à subtração de cada uma dessas parcelas de sofrimento, do fundo de moralidade, população, riqueza, trabalho e liberdade da outra raça, uma quantidade simbólica dos prejuízos nacionais da escravidão, que eu chamaria B, e sendo X os 46 anos do seu reinado, me desse o resultado desta simples equação, $A + B = X$.

Ah! essa incógnita, se o imperador, que lê a *Divina comédia*, a procurasse, o século de Pedro II lhe lembraria o segundo recesso do sétimo círculo do Inferno: parecer-lhe-ia estar na floresta das harpias, onde as árvores eram almas em cujas copas elas faziam seus ninhos, de cujas folhas elas se alimentavam, e de cujas feridas saíam ao mesmo tempo palavras e sangue... *Parole e sangue*! Não lhe seria possível quebrar o menor dos ramos dessa vegetação de lágrimas sem que toda ela gritasse, como a alma ferida pelo Dante. "Por que me dilaceras? Não tens sentimento algum de compaixão? Nós fomos homens, e hoje não somos senão troncos. Tua mão deveria ser menos cruel quando mesmo fôssemos almas de serpentes."

Uomini fummo, ed or sem fatti sterpi:
Ben dovrebb' esser, la tua man più pia,
Se state fossim anime di serpi.

E tendo aberto as primeiras feridas e quebrado os primeiros galhos, o imperador faria como o poeta: movido pelo amor do seu torrão natal, *...la carità del natio loco*, ele apanharia no chão as folhas gotejantes para restituí-las ao tronco ensanguentado da pátria, e fazê-lo emudecer.

Notas

O ABOLICIONISMO

QUE É O ABOLICIONISMO? A OBRA DO PRESENTE E A DO FUTURO [PP. 9-15]

1 *Manifesto* da Sociedade Brasileira contra a Escravidão.

O TRÁFICO DE AFRICANOS [PP. 15-23]

1 Esses navios chamados *túmulos flutuantes*, e que o eram em mais de um sentido, custavam, relativamente, nada. Uma embarcação de cem toneladas, do valor de sete contos, servia para o transporte de mais de 350 escravos (depoimento de sir Charles Hotham, adiante citado, sec. 604). O custo total do transporte desse número de escravos (navio, salários da equipagem, mantimentos, comandantes etc.) não excedia de dez contos de réis, ou, em números redondos, 30 mil-réis por cabeça (idem, secão. 604-611). Um brigue de 167 toneladas capturado tinha a bordo 852 escravos, outro, de 59, quatrocentos. Muitos desses navios foram destruídos depois de apresados como impróprios para a navegação.

2 "Sendo £ 6 o custo do escravo em África, e calculando sobre a base de que um sobre três venha a ser capturado, o custo de transportar os dois outros seria £ 9 por pessoa, £ 18, às quais devem-se acrescentar £ 9 da perda do que foi capturado, perfazendo no Brasil o custo total dos dois escravos transportados £ 27 ou £ 13 *ios* por

cabeça. Se o preço do escravo ao desembarque é £ 60 haverá um lucro, não obstante a apreensão de um terço e incluindo o custo dos dois navios, que transportam os dois terços, de £ 46 *ios* por cabeça? — Eu penso assim." Depoimento de sir Charles Hotham, comandante da esquadra inglesa na África ocidental. Abril de 1849. *First Report from the Select Committee* (House of Commons), 1849, § 614. O meu cálculo é esse mesmo, tomando £ 40 como preço médio do africano no Brasil.

INFLUÊNCIA DA ESCRAVIDÃO SOBRE A NACIONALIDADE [PP. 24-31]

1 Padre Manuel da Nóbrega. No seu romance abolicionista *Os herdeiros de Caramuru,* o dr. Jaguaribe Filho, um dos mais convictos propugnadores da nossa causa, transcreve a carta daquele célebre jesuíta, de 9 de agosto de 1549, em que se vê como foi fabricada pela escravidão a primitiva célula nacional.

2 Oliveira Martins, *O Brasil e as colônias,* 2ª ed., p. 50.

INFLUÊNCIA SOBRE O TERRITÓRIO E A POPULAÇÃO DO INTERIOR [PP. 32-49]

1 Palavras do juiz Warner, da Geórgia, citadas em *The Proposed Slave Empire,* de C. S. Miall.

2 *Garantia de juros,* p. 202.

3 "O antigo e vicioso sistema de sesmarias e do direito de posse produziu o fenômeno de achar-se ocupado quase todo o solo por uma população relativamente insignificante, que o não cultiva nem consente que seja cultivado. O imposto territorial é o remédio que a comissão encontra para evitar esse mal, ou antes abuso, que criou uma classe proletária no meio de tanta riqueza desaproveitada." Essa *classe proletária* é a grande maioria da nação. Parecer de uma comissão nomeada em 1874 para estudar o estado da lavoura na Bahia, assinado em primeiro lugar pelo barão de Cotegipe.

4 *Comissão do Madeira,* pelo cônego F. Bernardino de Sousa, p. 130.
5 *Comissão do Madeira,* p. 132.
6 "Em regra o fazendeiro enxerga no colono ou agregado, a quem cede ou vende alguns palmos de terreno, um princípio de antagonismo, um inimigo que trabalha por lhe usurpar a propriedade; que lhe prepara e tece rixas e litígios; que lhe seduz os escravos para fugir, roubar-lhe os gêneros de fazenda e vendê-los, a resto de barato, à taberna do mesmo ex-agregado estabelecido, que assim se locupleta com a jactura alheia. O resultado disso é que o trabalhador, perdendo a esperança de se tornar proprietário, não se sujeita a lavrar os campos da fazenda, nem a lhe preparar os produtos." *Parecer* das comissões de Fazenda e especial da Câmara dos Deputados sobre a criação do crédito territorial (1875), p. 21.
7 Citado em *England, the United States, the Southern Confederacy, by F. W. Sargent,* 110.
8 *Memória sobre o clima e secas do Ceará,* pelo senador Pompeu, p. 42.
9 *Miscelânea econômica,* p. 36.
10 Mommsen, *História romana,* livro v, cap. xi.
11 Antônio Cândido, Sessão de 8 de janeiro de 1881 (Câmara dos Deputados de Portugal).

INFLUÊNCIAS SOCIAIS E POLÍTICAS DA ESCRAVIDÃO [PP. 50-73]

1 *Congresso Agrícola do Recife,* pp. 323-4, observações do sr. A. Vítor de Sá Barreto.
2 A seguinte distribuição dos eleitores do município neutro em 1881 mostra bem qual é a representação de operários que temos. Dos 5928 eleitores que representavam a capital do país, havia 2211 empregados públicos, civis ou militares, 1076 negociantes ou empregados do comércio, 516 proprietários, 398 médicos, 211 advogados, 207 engenheiros, 179 professores, 145 farmacêuticos, 236 *artistas,* dividindo-se o resto por diversas profissões, como clérigos (76), guarda-livros (58), des-

pachantes (56), solicitadores (27) etc. Esses algarismos dispensam qualquer comentário.

3 O Clube da Lavoura e Comércio de Taubaté, por exemplo, incumbiu uma comissão de estudar a lei de locação de serviços, e o resultado desse estudo foi um projeto cujo primeiro artigo obrigava a contratos de serviços todo nacional de *doze anos* para cima que fosse encontrado sem ocupação honesta. Esse nacional teria a escolha de ser *recrutado* para o Exército, ou de contratar seus serviços com algum lavrador *de sua aceitação*. O art. 6º dispunha: "O locador que bem cumprir seu contrato durante os cinco anos terá direito, afinal, a um prêmio pecuniário que não excederá de 500$000. § 1º Este prêmio será pago pelo governo em dinheiro ou em apólice da dívida pública". A escravidão tem engendrado tanta extravagância que não sei dizer se essa é a maior de todas. Mas assim como Valença se obstina em ser a Esparta, a Corte a Delos, a Bahia a Corinto, dir-se-á, à vista desse prêmio de 500$, que se quer fazer de Taubaté, que J. M. de Macedo nos descreve como "antiga, história e orgulhosa do seu passado", a Beócia da escravidão.

4 Consultas do Conselho de Estado sobre Negócios Eclesiásticos. Consulta de 18 de junho, 1864.

NECESSIDADE DA ABOLIÇÃO. PERIGO DA DEMORA [PP. 74-83]

1 Há pessoas de má-fé que pretendem que, sem propaganda alguma, pela marcha natural das coisas, pela mortalidade e liberalidade particular, uma propriedade que no mínimo excede em valor a 500 mil contos se eliminará espontaneamente da economia nacional se o Estado não intervier. Há outras pessoas também, capazes de reproduzir a multiplicação dos pães, que esperam que os escravos sejam todos resgatados em vinte anos pelo Fundo de Emancipação, cuja renda anual não chega a 2 mil contos.

2 "O resultado há sido este: em onze anos o Estado não logrou manumitir senão 11 mil escravos, ou a média

anual de mil, que equivale a aproximadamente 0,7% sobre o algarismo médio da população escrava existente no período de 1871 a 1882. É evidentemente obra mesquinha que não condiz à intensidade de intuito que a inspirou. Com certeza, ninguém suspeitou em 1871 que, ao cabo de tão largo período, a humanitária empresa do Estado teria obtido esse minguado fruto." *Jornal do Comércio,* artigo editorial de 28 de setembro de 1882.

LEIA MAIS PENGUIN-COMPANHIA
CLÁSSICOS

O Brasil holandês

Seleção, introdução e notas de
EVALDO CABRAL DE MELLO

A presença do conde Maurício de Nassau no Nordeste brasileiro, no início do século XVII, transformou Recife na cidade mais desenvolvida do Brasil. Em poucos anos, o que era um pequeno povoado de pescadores virou um centro cosmopolita.

A história do governo holandês no Nordeste brasileiro se confunde com a guerra entre Holanda e Espanha. Em 1580, quando os espanhóis incorporaram Portugal, lusitanos e holandeses já tinham uma longa história de relações comerciais. O Brasil era, então, o elo mais frágil do império castelhano, e prometia lucros fabulosos provenientes do açúcar e do pau-brasil.

Este volume reúne as passagens mais importantes dos documentos da época, desde as primeiras invasões na Bahia e Pernambuco até sua derrota e expulsão. Os textos — apresentados e contextualizados pela maior autoridade no período holandês no Brasil, o historiador Evaldo Cabral de Mello — foram escritos por viajantes, governantes e estudiosos. São depoimentos de quem participou ou assistiu aos fatos, e cuja vividez e precisão remete o leitor ao centro da história.

LEIA MAIS PENGUIN-COMPANHIA

CLÁSSICOS

Ovídio

Amores & Arte de amar

Tradução de
CARLOS ASCENSO ANDRÉ

Para o poeta latino Ovídio, o amor é uma técnica que, como toda técnica, pode ser ensinada e aprendida. Isso, porém, não é simples: "São variados os corações das mulheres; mil corações, tens de apanhá-los de mil maneiras", ele diz. Essas "mil maneiras" são ensinadas em sua *Arte de amar*, uma espécie de manual do ofício da sedução, da infidelidade, do engano e da obtenção do máximo prazer sexual, elaborado a partir das experiências vividas pelo poeta e descritas em *Amores*.

Autoproclamado mestre do amor, Ovídio versa sobre as regras da procura e da escolha da "vítima", o código de beleza masculino, o desejo da mulher, o ciúme, o domínio da palavra escrita e falada, o poder do vinho como aliado na sedução, o fingimento, a lisonja, as promessas, os homens que devem ser evitados, a técnica da carícia e os caminhos do corpo feminino, entre outros temas.

A edição da Penguin-Companhia das Letras tem tradução e introdução de Carlos Ascenso André, professor de línguas e literaturas clássicas da Faculdade de Letras de Coimbra, e apresentação e notas do inglês Peter Green, escritor, tradutor e jornalista literário.

Angela Carter

A menina do capuz vermelho e outras histórias de dar medo

Tradução de
LUCIANO VIEIRA MACHADO

Durante o início da década de 1990, a escritora inglesa Angela Carter coletou em dois volumes contos de fadas do mundo inteiro, tendo concluído a segunda coletânea pouco antes de morrer. Nesta edição, a Penguin-Companhia selecionou alguns dos mais célebres (e assustadores) contos de Carter, num breve painel do folclore mundial e das tradições narrativas dos mais variados povos.

Há poucas fadas nessas histórias, e o leitor também terá dificuldades em encontrar príncipes encantados e caçadores que salvam o dia no último momento. Escritas numa época em que fábulas não eram destinadas a crianças, eles dão lugar a uma série de tias malévolas, esposas traiçoeiras, irmãs excêntricas e perigosas feiticeiras.

Por terem sido registrados em papel pela primeira vez nos últimos duzentos ou trezentos anos, os contos oferecem um retrato do dia a dia no mundo pré-industrializado, das dinâmicas sociais e de outros detalhes que com o tempo se perderam. Mais que isso, na tradição das histórias italianas reunidas por Italo Calvino, oferecem um registro precioso de algumas matrizes que posteriormente acabaram assimiladas pela literatura ocidental.

Homero

Odisseia

Tradução de
FREDERICO LOURENÇO

A narrativa do regresso de Ulisses a sua terra natal é uma obra de importância sem paralelos na tradição literária ocidental. Sua influência atravessa os séculos e se espalha por todas as formas de arte, dos primórdios do teatro e da ópera até a produção cinematográfica recente. Seus episódios e personagens — a esposa fiel Penélope, o filho virtuoso Telêmaco, a possessiva ninfa Calipso, as sedutoras e perigosas sereias — são parte integrante e indelével de nosso repertório cultural.

Em seu tratado conhecido como *Poética*, Aristóteles resume o livro assim: "Um homem encontra-se no estrangeiro há muitos anos; está sozinho e o deus Posêidon o mantém sob vigilância hostil. Em casa, os pretendentes à mão de sua mulher estão esgotando seus recursos e conspirando para matar seu filho. Então, após enfrentar tempestades e sofrer um naufrágio, ele volta para casa, dá-se a conhecer e ataca os pretendentes: ele sobrevive e os pretendentes são exterminados".

Esta edição de *Odisseia* traz uma excelente introdução de Bernard Knox, que enriquece o debate dos estudiosos mas principalmente serve de guia para estudantes e leitores, curiosos por conhecer o mais famoso épico de nossa literatura.

Essencial Franz Kafka

Seleção, introdução e tradução de
MODESTO CARONE

Aprisionado à sufocante existência burguesa que as convenções familiares e sociais o obrigavam, Franz Kafka chegou certa vez a afirmar que "tudo o que não é literatura me aborrece". Muitas narrativas que compõem o cerne de sua obra são produto de uma atividade criativa febril e semiclandestina, constrangida pela autoridade implacável do pai, e se originaram da forte sensação de deslocamento e desajuste que acompanhou o escritor durante toda a sua curta vida. Apesar de seu estado fragmentário, o espólio literário de Kafka — publicado na maior parte em edições póstumas — é considerado um dos monumentos artísticos mais importantes do século XX.

Esta edição de *Essencial Franz Kafka* reúne em um único volume diferentes momentos da produção do autor de *O processo*, 109 aforismos nunca publicados em livro no Brasil, e uma introdução assinada por Modesto Carone, também responsável pelos comentários que antecedem os textos. As traduções consagradas de Carone, realizadas a partir dos originais em alemão, permitem que clássicos como *A metamorfose*, *Na colônia penal* e *Um artista da fome* sejam lidos (ou relidos) com fidelidade ao estilo labiríntico da prosa kafkiana.

Esta obra foi composta em Sabon por Alice Viggiani
e impressa em ofsete pela Geográfica
sobre papel Pólen Soft da Suzano Papel e Celulose
para a Editora Schwarcz em novembro de 2011